3/19

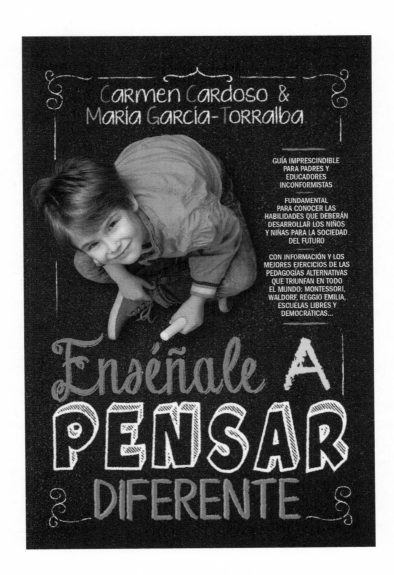

Carmen Cardoso &
María García-Torralba

GUÍA IMPRESCINDIBLE
PARA PADRES Y
EDUCADORES
INCONFORMISTAS

FUNDAMENTAL
PARA CONOCER LAS
HABILIDADES QUE DEBERÁN
DESARROLLAR LOS NIÑOS
Y NIÑAS PARA LA SOCIEDAD
DEL FUTURO

CON INFORMACIÓN Y LOS
MEJORES EJERCICIOS DE LAS
PEDAGOGÍAS ALTERNATIVAS
QUE TRIUNFAN EN TODO
EL MUNDO: MONTESSORI,
WALDORF, REGGIO EMILIA,
ESCUELAS LIBRES Y
DEMOCRÁTICAS...

Enséñale A
PENSAR
DIFERENTE

TOROMÍTICO

Educación Alternativa • Editorial Toromítico
Director Editorial: Óscar Córdoba
Edición a cargo de: Isabel Blasco
Diseño y maquetación: Teresa Sánchez-Ocaña
Ilustraciones: Sandra García López

Imprime: Gráficas La Paz
ISBN: 978-84-15943-61-7
Depósito Legal: CO-143-2018
Hecho e impreso en España - *Made and printed in Spain*

A Adriana y Sofía,
por ser música y
magia en mi vida.
Porque este libro nace
del deseo de querer ser mejor
madre cada día, de intentar
daros las herramientas
para ser felices y saber
guiaros en vuestro camino.
Sois mi motor y mi inspiración.
Hasta la luna y vuelta.

María García-Torralba Iglesias

Para Jimena y Elías,
mis niños. Gracias por el amor
y las enseñanzas que recibo
de vosotros cada día.
Cien vidas necesitaría
para devolveros toda la
felicidad que me aportáis.
Cuánto os quiero
y qué orgullosa
me siento de los dos.

Carmen Cardoso Parra

ÍNDICE

TERCERA PARTE
Enseñándoles a pensar diferente en casa.

NUESTRA HISTORIA

A ti, madre, padre, profesor, estudiante
que estás leyendo este libro:

Somos María y Carmen, maestra y periodista, respectivamente, autoras de este manual que tienes en tus manos. Nos conocimos a la salida del colegio, como tantas otras madres. Y teníamos una historia que nos unió: una gran pasión por la educación y muchas ganas de compartir con otros padres nuestras ideas acerca de cómo proporcionar a nuestros hijos una educación que les ayude a desarrollar todo su potencial.

Un día, tomando un café, decidimos embarcarnos en este proyecto tan bonito y que tanto nos ha gustado llevar a cabo: escribir *Enséñale a pensar diferente*. ¿Y a qué nos referimos con «diferente»? Pues para nosotras significa enséñale a tener ideas propias, a desarrollar su personalidad, a ser creativo, a innovar, a ser decidido... Cuestiones que son, todas ellas, cada vez más importantes en nuestra sociedad.

Y este libro es el resultado. Pero primero queremos contarte por qué hemos llegado hasta aquí.

Una de las frustraciones más grandes para un padre o una madre es ver infeliz a su hijo. Es cierto que vivimos en una sociedad en la que tendemos a sobreproteger a nuestros niños, procurando esquivar sus contratiempos y problemas, con las consecuencias negativas que conlleva esto a largo plazo. Pero no estamos hechos para ver cómo un día tras otro no encajan en un lugar que tú has elegido para ellos, y donde lo pasan realmente mal. Y eso fue lo que nos ocurrió. Ambas escogimos dos buenos colegios para que nuestros hijos se formaran y disfrutaran de una buena educación. Dos centros con una larga tradición y muy buenos resultados académicos. Pero no encajaron. No sufrieron *mobbing*, ni recibieron un trato incorrecto, ni nada parecido. Simplemente, no era su sitio.

Eran muy pequeños y no lo sabían expresar, pero pronto nos dimos cuenta de dos cosas. En primer lugar, que no eran felices, y eso una madre lo sabe. Y, en segundo lugar, que todo el potencial que tenían, sus cualidades y sus aptitudes, se iban marchitando cada día que pasaba. No se nos ocurre una definición mejor: se marchitaban. Le puede pasar a cualquiera y más aún si, como en nuestro caso, son niños muy creativos, con muchas inquietudes y una grandísima iniciativa a la hora de generar ideas. Cuando nos dimos cuenta de que lo mejor era cambiarlos de colegio, cada una de nosotras, por su camino, llegó a la conclusión de que necesitaban una educación escolar diferente de la que habían tenido hasta entonces. Así que decidimos dar un salto, cambiar completamente la perspectiva y probar algo distinto. La educación tradicional no respondía a las necesidades de nuestros hijos, por lo que había que informarse acerca de otras alternativas. Y así fue cómo ambas llegamos a un colegio Montessori. Lo cierto es que no podemos estar más contentas de haber tomado aquella decisión.

Teníamos claro lo que queríamos: una educación en la que cada uno de nuestros hijos recuperase la ilusión por aprender, que potenciara su creatividad, que les motivara, les ayudara a conocer sus cualidades y a desarrollarlas, en la que se sintieran felices, recuperaran su autoestima, no les pusieran freno a sus ganas de saber más ni les hicieran encajar a la fuerza en un molde común que no era el suyo. Que fuera lo más personalizada posible y que tuviera en cuenta su forma de ser. Pocos años después reconocemos haberlo logrado. Pero no solo eso, también nos hemos dado cuenta de que todo esto es precisamente lo que una gran parte de la sociedad está demandando para los más jóvenes.

Como podréis comprobar en el libro, no queremos avivar ninguna polémica, y menos en el tema educativo en el que los ánimos están tan encendidos. Cada niño es un universo, y pretender que un solo método o sistema valga para todos no es realista. No tratamos de lanzar una crítica despiadada contra la educación tradicional, ni pretender que la llamada «educación alternativa» sea la panacea para todos los estudiantes. Sobre todo, porque somos conscientes de que cada padre, al final, busca lo mejor para su hijo. Y dentro de ese «lo mejor» caben tantas cosas... Pero sí es cierto que nos hemos encontrado un cierto consenso entre los expertos que hemos consultado y coinciden en la necesidad de afrontar ciertos cambios en la escuela para que nuestros hijos tengan las habilidades necesarias para poder desarrollar todo su potencial, porque eso les ayudará a adaptarse mejor a la sociedad que se van a encontrar cuando acaben sus estudios. Cambios que ya se están produciendo.

Nosotras estamos viviendo una experiencia muy satisfactoria proporcionándoles a nuestros hijos una educación alternativa y diferente. Pero, sobre todo, este camino nos ha ayudado a saber más de ellos, a respetar sus diferencias, a comprender cómo son y cuáles son sus necesidades. Y, en definitiva, a quererlos mejor.

RAÍCES Y ALAS

«Solamente dos legados duraderos podemos aspirar a dejar a nuestros hijos: raíces y alas».
Hodding Carter

Uno de los aspectos que nos distinguen como seres humanos es la capacidad de transmitir conocimiento a las siguientes generaciones. Para cualquier padre, dotar a sus hijos de una cultura y una tradición, por un lado, y de unas herramientas para saber afrontar los retos que su vida le ponga por delante, por otro, es uno de nuestros legados más importantes. Puede ser que luego ellos no compartan ni uno solo de nuestros postulados —que ya es difícil— pero al menos tendrán con qué confrontarlos y una base desde la que partir, lo cual es muy importante. No se puede educar partiendo desde la nada, la transmisión de nuestras raíces es innata al ser humano, tal y como han hecho nuestros ancestros desde la noche de los tiempos, aunque al mismo tiempo debamos mostrarles el camino de su libertad —sus alas— para escoger el suyo propio.

El problema que tenemos como sociedad ahora es complejo. Por una parte, y por lo general, pasamos poco tiempo con nuestros hijos y esa transmisión se ha resentido. Por otra, los valores que nos han definido durante muchos años están siendo puestos en entredicho por buena parte de la población. Y, por último, se añade otra preocupación: no sabemos exactamente qué herramientas debemos darles a nuestros hijos para prepararse profesionalmente para el futuro porque la sociedad está cambiando a pasos agigantados y existen pocas certezas en el mundo laboral. Seguro que no hemos sido los únicos que nos hemos tenido que enfrentar a retos así de trascendentales a lo largo de la Historia, pero nosotros, en este momento, ¿qué hacemos?

La pretensión de este libro no es afrontar la cuestión de la transmisión de valores de padres a hijos, las «raíces». Pero sí que

nos gustaría analizar qué tipo de «alas» hay que enseñarles a des-
plegar en sus primeros años de vida para poder afrontar los retos
de la sociedad en la que van a crecer. Es una cuestión que atañe
tanto a los profesores como a los padres. De hecho, las propias
escuelas han podido comprobar en los últimos años la preocupación de los padres al respecto: quieren que sus hijos entiendan las
claves de esta sociedad y sepan desenvolverse en ella y desean
prepararles para el desarrollo de su faceta profesional, pues el del
trabajo es un plano fundamental en el ámbito de cualquier indi-
viduo. Una de las cuestiones que nos ha quedado clara al abordar este libro es que la mayoría de los expertos coinciden en que

hay que potenciar el pensamiento divergente en nuestros hijos: que sean creativos, innovadores, que sean capaces de desarrollar nuevas ideas… Es, sin duda, un reto muy importante y de ahí el objetivo de escribir este libro. Abordaremos cuáles son las claves para ayudarles a «pensar de forma diferente». Analizaremos cuáles son las principales escuelas alternativas en España y fuera de nuestras fronteras donde se fomenta este tipo de educación y, por último, estableceremos una guía de ejercicios y actividades para hacer en casa con los que se pretende desarrollar esas nuevas habilidades que van a resultar imprescindibles para afrontar el futuro laboral del mañana. O más bien del presente.

PRIMERA PARTE

¿Por qué hay que enseñar a pensar diferente a nuestros hijos y cómo lo podemos lograr?

Existe un amplio consenso en cuanto a que esta «sociedad del conocimiento» o «sociedad de la información» en la que nos está tocando vivir tiene una serie de características propias que la distinguen de otras que se han sucedido a lo largo de la historia. Según la UNESCO, los pilares de las sociedades del conocimiento son: el acceso a la información para todos, la libertad de expresión y la diversidad lingüística. Las tecnologías de la comunicación están en la base principal de este cambio que nos está obligando a todos a adaptarnos rápidamente en nuestro trabajo y en nuestra vida personal. Y solo hemos visto el principio: con la expansión de la inteligencia artificial, las transformaciones serán mucho más profundas y no va a haber prácticamente ninguna profesión que se vaya a ver afectada. Nosotros estamos adaptándonos como podemos, en un entorno difícil y poco predecible, y por eso nos está costando tanto. Pero... ¿qué hacemos con nuestros hijos?, ¿cómo podemos prepararles para el mundo que está por venir?

En los últimos años se ha hablado mucho de las habilidades o destrezas que, según los expertos, deberíamos desarrollar para adaptarnos. En el ámbito educativo cobran especial relevancia, pues nos ayudan a saber cómo se debe enfocar la educación de los niños para prepararles. No es nuestra intención generar controversia pues está claro que estas nuevas habilidades deben sumarse a otras que han formado parte de nuestra historia educativa y que no tienen por qué dejarse atrás. El ámbito educativo está muy sacudido en los últimos años, y a veces se simplifica demasiado estableciendo dos bandos entre aquellos que quieren establecer una revolución que ponga la escuela patas arriba completamente, abandonando cualquier vestigio del pasado, y aquellos a los que definiciones como «nueva pedagogía» o «educación alternativa» les produce un profundo malestar. Está claro que el hecho de utilizar herramientas que

se llevan utilizando desde hace siglos en la escuela, como la memorización —y que, por cierto, si preguntamos a nuestros hijos, se
sigue utilizando con frecuencia a la hora de adquirir conocimientos
incluso con nuevas metodologías, a pesar de que algunos crean lo
contrario— no es óbice para aseverar que es necesario transformar
el aprendizaje para desarrollar estas nuevas destrezas.

LAS HABILIDADES NECESARIAS EN LA SOCIEDAD DEL CONOCIMIENTO

En el año 2015, el Foro Económico Mundial presentó un estudio
muy interesante elaborado junto con The Boston Consulting Group
que lleva por título *Nueva visión para la educación: fomentar el
aprendizaje social y emocional a través de la tecnología*, donde se
destacan dieciséis habilidades que debe desarrollar un alumno para
prepararse para esta nueva sociedad. Se dividen en tres grupos:

1. Conocimientos fundamentales para las actividades diarias:

• Lectoescritura.
• Habilidad numérica.
• Conocimiento científico.
• Tecnologías de la comunicación e información.
• Conocimiento financiero.
• Cultura cívica.

2. Competencias para afrontar retos complejos:

• Pensamiento crítico y solución de problemas.
• Creatividad.
• Comunicación.
• Colaboración.

3. Cualidades de la personalidad para relacionarse con el entorno:

• Curiosidad.
• Iniciativa.
• Persistencia.
• Adaptabilidad.
• Liderazgo.
• Conciencia social y cultural.

Y ¿cómo se fomentan este tipo de habilidades? El informe desarrolla una serie de ideas al respecto que nos pueden servir a los padres:

• Fomentar el aprendizaje basado en el juego.
• Secuenciar el aprendizaje en áreas coordinadas entre sí.
• Crear un ambiente seguro en el que el niño desarrolle su aprendizaje.
• Fomentar una mentalidad de mejora y crecimiento personal.
• Establecer relaciones sólidas.
• Darle tiempo al niño para facilitar su concentración.
• Hacerle partícipe de las enseñanzas para fomentar el razonamiento reflexivo y el análisis.
• Elogiarle para fomentar su autoestima.
• Guiar el aprendizaje para favorecer el descubrimiento en las materias.
• Ayudar a los niños a encontrar sus fortalezas y habilidades y proporcionarles desafíos apropiados.
• Dedicarles tiempo.
• Proporcionarles objetivos claros de aprendizaje dirigidos a habilidades explícitas.
• Fomentar una enseñanza desde una perspectiva práctica.

En cuanto a las competencias y habilidades, el informe nos da una serie de ideas para fomentarlas en nuestros hijos:

• **Pensamiento crítico y solución de problemas.** Crear un *feedback* constructivo que permita al niño sentirse escuchado y comprender que sus opiniones cuentan y son importantes. Permitir que compartan propuestas, que las defiendan y que den su opinión sobre las de los demás de una forma constructiva. De la misma forma, fomentar su autonomía y autoestima para que aporten soluciones a los retos que se le plantean.

• **Creatividad.** Ofrecerle oportunidades para crear e innovar, la autoestima necesaria para sentir que lo que hace es importante y la autonomía para que lo haga por sí mismo.

• **Comunicación.** Hablar con él con un lenguaje rico, variado, lleno de sinónimos que puedan mejorar su vocabulario. Crear debates, permitirle hablar en público y fomentar el empleo de la escritura para mejorar su redacción.

• **Colaboración.** Fomentar el trabajo en grupo y enseñarle el respeto que debe mantener ante los trabajos y las opiniones de sus compañeros. Realizar actividades en equipo con un objetivo común, donde tenga cada uno tenga un papel y todos los esfuerzos sean necesarios.

• **Curiosidad.** Hacerle preguntas y dejar que el niño las haga también, pero ofreciéndole antes los contenidos que necesita para que el tema le interese y resolviendo sus dudas. Proveerle de material multisensorial que le permita una exploración a través de sus sentidos. Promover contradicciones que le lleven a cuestionarse lo aprendido.

• **Iniciativa.** Involucrarle en proyectos de largo recorrido, individual y en grupo, en los que tenga que proponer ideas de forma continua y que tengan un propósito bien definido. Darle la confianza de que logrará el éxito si se esfuerza y trabaja en sus habilidades y fomentar su autonomía para la toma de decisiones.

• **Persistencia**. No dejar que los errores hundan su autoestima sino que le sirvan para aprender de ellos y continuar con su trabajo y su esfuerzo. Ofrecerle un premio cuando realice un trabajo bien desarrollado y darle las herramientas necesarias para solventar los conflictos que se le presenten por delante, tanto en su trabajo como con los demás.

• **Adaptabilidad**. Abordar con él la cuestión de las emociones que le producen los acontecimientos y los cambios y desarrollar su flexibilidad haciéndole partícipe de diferentes situaciones de las que tenga que formar parte. Permitirle errar sin que se sienta culpable, como vía de aprendizaje.

• **Liderazgo**. Fomentar su capacidad negociadora y trabajar con su empatía, ofrecerle incentivos para liderar un grupo y fomentar el trabajo con los demás como vía de conseguir sus metas.

• **Conciencia social y cultural**. Trabajar sobre el respeto que tiene que tener hacia los demás, sobre la empatía, y despertar sus inquietudes culturales.

Estas son, como hemos podido ver, habilidades globales necesarias para esta sociedad en la que nos hemos adentrado. Pero, en lo que respecta a la cuestión central de este libro, el fomento de un pensamiento divergente, queremos centrarnos en tres aspectos clave: la creatividad, la autonomía y la autoestima.

LA CREATIVIDAD

En el año 1999 —parece una eternidad hoy en día— se publicó en el Reino Unido un estudio muy interesante, el llamado *Informe Robinson*. Un tiempo antes, David Blunkett, en aquel entonces Ministro de Educación y Empleo británico, creó un comité consultivo nacional sobre creatividad y cultura, al frente del cual nombró a Ken Robinson, doctor por la Universidad de Londres y reconocido experto en innovación educativa. Se trataba de la mayor investigación a nivel nacional que se hacía sobre el tema, y una vez finalizada se presentó bajo el título: *Todos nuestros futuros: creatividad, cultura y educación.* Una de las conclusiones decía que en el mundo tan rápido en el que vivimos, las empresas ya no solo exigen buenos expedientes académicos, sino que demandan más: personas que puedan adaptarse, interactuar, innovar, comunicarse y trabajar con otros. Añadía que las nuevas economías basadas en el conocimiento dependerían cada vez más de estas habilidades, como así ha sido, pero que el sistema educativo no estaba diseñado para promoverlas. Según el informe, la creatividad era necesaria en todas las formas de negocios y en todo tipo de trabajo, incluidos los tradicionales y, por supuesto, en las compañías de la «nueva economía». Es una cuestión que Ken Robinson ha repetido una y otra vez desde entonces, la importancia de desarrollar la creatividad sobre todo en los niños, que tienen un talento innato para innovar. La creatividad —que no pertenece a una élite de artistas— fomenta el pensamiento divergente y todo el mundo tiene capacidad para desarrollarla en un área o en otra, en función de sus aptitudes.

Por lo tanto, ya tenemos claro que es muy importante desarrollar la creatividad en los niños, lo que va unido a su capacidad de innovación. La creatividad se practica. Hay quien dice que es como un músculo que se fortalece con el entrenamiento, y no le falta razón. Y se entrena mediante el fomento de ejercicios que tengan que ver con las disciplinas artísticas, sobre todo en los primeros años de vida: el dibujo, la música, la danza, la literatura… Actividades como contar historias, realizar actividades manuales o cantar son básicas para desarrollar la creatividad infantil. Pero no solo eso, la creatividad también se fomenta en otras disciplinas como las ciencias o las matemáticas. Por parte de los adultos bastaría con darles unas ideas con las que comenzar: el comienzo de un cuento, las primeras letras de una canción, un simple trazo… y después dejar al niño para que su imaginación vuele. Como dice el informe

Robinson, la creatividad requiere:

— El uso de la imaginación.
— La persecución de un propósito.
— Originalidad.
— Un juicio de valor del proceso creativo.

LA AUTONOMÍA

Una de las características que definen a buena parte de los padres de nuestra sociedad es la sobreprotección. Si echamos la vista atrás, podremos comprobar que tanto nosotros y no digamos ya nuestros padres y abuelos, realizábamos un mayor número de actividades autónomas que las que hacen nuestros hijos a la misma edad. El sentido común nos lleva a pensar que, lógicamente, nadie defiende que los niños de hoy deban asumir el nivel de responsabilidad que tenían hace cien años cuando algunos de ellos tenían hasta que desempeñar trabajos de adultos, pero lo cierto es que se ha basculado de tal forma que algunos han pasado a tener un grado de dependencia tan grande que no les permite desarrollar su autonomía de forma satisfactoria. Fomentar este aspecto de su desarrollo es una manera de hacer ver a nuestros hijos que son capaces de realizar actividades y que tenemos la suficiente confianza en ellos para que las hagan por sí mismos.

La autonomía se fomenta permitiendo a los niños realizar todo aquello de lo que sean capaces sin que entrañe ningún peligro para ellos: dejarles vestirse por su cuenta aunque lo hagan mal, comer solos, cuidar su higiene (lavarse, peinarse, usar determinados productos…). Al principio hay que guiarles, supervisarles, dejarles practicar y equivocarse. Otras formas de desarrollar su autonomía son ofrecerles alternativas para que sientan que tienen capacidad de tomar decisiones que son respetadas, ayudándoles a gestionar su tiempo y su trabajo (al principio ofreciéndoles pautas para que después ellos las incorporen y las vayan gestionando), fomentando su orden en los espacios y ambientes en los que desarrollan sus actividades y en su cuarto... Todas estas cuestiones deben ser explicadas a los niños y requieren de mucha paciencia. Pero adquirir una serie de hábitos desde los primeros años de vida que les permitan manejarse por sí mismos les ayudará a tomar la iniciativa de una forma más eficaz cuando sean adultos. Y ya hemos visto lo importante que es desarrollar esta habilidad.

LA AUTOESTIMA

Aunque hay que remontarse a los años 60 cuando comenzó a hablarse en la revista *Journal of Emotional Education* de educación emocional —concretamente en el año 1966—, ha sido en los últimos años cuando ha cobrado una especial relevancia. Sin duda la aparición, en los años 90, de dos investigaciones importantes fue una auténtica revolución. Peter Salovey, profesor y rector de la Universidad de Yale, y John Mayer, profesor de la Universidad de New Hamsphire, profundizaron en el concepto de inteligencia emocional la cual, según afirmaron, incluye las habilidades para percibir con precisión, valorar y expresar emoción; para acceder y/o generar sentimientos cuando facilitan pensamientos; para comprender la emoción y el conocimiento emocional y para promover el crecimiento emocional e intelectual. Asimismo, el libro *Inteligencia emocional,* de psicólogo Daniel Goleman, doctor en Harvard, supuso una auténtica revolución. Goleman describió que habilidades como el autocontrol, el entusiasmo, la empatía, la perseverancia, la capacidad para motivarse a uno mismo o la habilidad para relacionarnos eran fundamentales. Todas eran importantes para alcanzar el éxito personal y profesional. Estos estudios, junto con otros que demostraron la eficacia de conocer y desarrollar herramientas que nos permitan hacer una correcta gestión de las emociones para lograr un mayor nivel de adaptación a las circunstancias personales y profesionales que nos toca vivir, han derivado en una mayor conciencia de la necesidad de que esta cuestión esté presente en la educación que reciben nuestros hijos. Aunque en algunos países, sobre todo en Estados Unidos, se han llevado a cabo programas de educación emocional en los colegios con criterios científicos y con una posterior evaluación, lo cierto es que —aunque obviamente la aportación del colegio es importante— el peso de este tipo de educación recae en las familias.

Cuando hablamos de inteligencia emocional, y más concretamente de educación emocional, uno de los pilares es el desarrollo de la autoestima personal, la percepción que tenemos de nosotros mismos. Para fomentarla en la educación que reciben los más pequeños, investigaciones como las que señalábamos anteriormente reclaman una serie de características que deben cumplirse:

• El fomento del autoconocimiento: sus habilidades y debilidades, sus aptitudes, sus emociones, su forma de reaccionar ante los acontecimientos.
• La ayuda a la hora de expresar y comprender sus emociones, incitándoles a hablar de las mismas de una forma sencilla y positiva, por ejemplo, a través del juego.
• La regulación de las emociones, ayudándoles a entender cuál debe ser la reacción más adecuada para poder adaptarse a la vida en sociedad.
• La flexibilidad a la hora de relacionarse en un entorno con más personas y la empatía para saber reconocer las emociones en los demás.
• El fomento de su autonomía personal que les permitirá sentirse más seguros de sus acciones.
• La participación de los niños en la toma de decisiones, de una forma proporcional y con sentido común, estableciendo asimismo los límites necesarios.
• Generación de un clima de seguridad en el hogar y en la escuela.
• La utilización de un lenguaje positivo a la hora de dirigirse a ellos y de educarlos, de tal forma que se generen emociones positivas que influyan en la mejora de la adquisición de conocimientos.

Estas tres cuestiones que hemos abordado son básicas a la hora de que los niños desarrollen el pensamiento divergente que tanto se valora hoy en día: se necesita creatividad para desarrollar nuevas ideas, autonomía personal para llevarlas a cabo y autoestima para perseverar en el objetivo.

En cuanto a la forma práctica de desarrollarlas, en la tercera parte del libro ofrecemos una larga lista de ejercicios y actividades que las fomentan.

SEGUNDA PARTE

La revolución
educativa.
Enseñándoles
a pensar
diferente desde
la escuela

La elección del colegio para los hijos se ha convertido en los últimos años es una decisión de gran trascendencia para la vida familiar. El crecimiento de la oferta de centros educativos y los diferentes métodos, la mayor formación de los padres en este ámbito y la vertiginosa transformación de la sociedad que nos ha tocado vivir son algunas de las razones que han fomentado este gran interés. A estas se le pueden añadir otras cuestiones como un aumento del diagnóstico de las dificultades en el aprendizaje de algunos niños que requieren nuevos métodos, el acceso a la tecnología, la mayor movilidad geográfica por parte de las familias... Todo ha contribuido a que los padres tengan en cuenta un abanico nuevo de variables que son determinantes a la hora de elegir un centro.

A esta circunstancia se añade el gran debate en el que desde hace años vive inmerso el mundo educativo: el paradigma de lo que se conoce como «educación tradicional» viene siendo cuestionado desde diferentes ámbitos. En ocasiones es difícil abordar esta cuestión sin caer en simplificaciones y tópicos. La educación que transmitimos a nuestros hijos y la necesidad de dotarles de las herramientas necesarias para poder manejarse en el mundo en el que vivimos cuando ese mundo está cambiando a una velocidad asombrosa. Es, sin duda, un tema trascendental que exige un debate en profundidad y no cabe la división maniquea entre educación mala (que suelen definir como la que se venía impartiendo hasta ahora en la mayoría de los centros) y educación buena (que correspondería a la que se hace en los llamados centros alternativos). Ojalá fuera tan simple, pero no lo es. Para empezar, buena parte de lo que conocemos como educación alternativa es más antigua de lo que muchos pueden imaginar. Por ejemplo, María Montessori, la creadora del método que lleva su nombre, fundó su primera escuela —que ella llamaba Casa de los Niños— en 1907, en Roma. Y en España, la Institución Libre de Enseñanza, fue creada en 1876 por un grupo de catedráticos con una visión renovadora de la pedagogía. Entre las tesis que defendían están las siguientes: la desaparición de la enseñanza exclusivamente basada en la memorización, el aumento de las salidas al campo y el contacto de los alumnos con el mundo exterior, el fomento de una relación de confianza entre profesores y alumnos, el respeto hacia los estudiantes y una mayor relación con las familias. Nos suena, ¿verdad?

Pero al mismo tiempo que es importante no caer en los tópicos ni simplificar demasiado la cuestión, lo cierto es que existen motivos de preocupación que nos llevan a afirmar que la educación necesita —y de hecho está inmersa en ella— una transformación que la adapte al mundo en el que vivimos. Y una de las cuestiones sin duda que más preocupan es el fracaso escolar. La mala comprensión lectora y la falta de habilidad en los cálculos matemáticos están en la base de los problemas que tienen los estudiantes al ir avanzando de curso, y estas dificultades se forjan en los primeros años de escolarización, entre los tres y los doce años. Pero también entre los que podríamos denominar «buenos estudiantes» existe un gran consenso en los expertos de que se requiere crear y fomentar nuevas habilidades para que estén más preparados para afrontar su futuro.

En vista de estas nuevas necesidades y de la extensión de la innovación en el mundo educativo, en los últimos años se ha producido una gran eclosión de nuevas propuestas que quieren adaptarse a esta necesaria «revolución educativa». Algunas, han recuperado métodos como el Montessori o el Waldorf, con una larga tradición, y otras han desarrollados nuevos paradigmas que se adaptan a las recientes demandas por parte de las familias. En definitiva, nuevas ideas y formas de trabajo que buscan fomentar en los niños su pasión innata por el aprendizaje, un deseo que todos los padres tienen para sus hijos al margen de los caminos que emprendan para lograrlo.

En este libro queremos daros a conocer estas propuestas (clásicas y contemporáneas) que se suelen englobar en lo que se conoce como «educación alternativa». Y tiene dos partes, una primera en la que se exponen las características principales de cada método, y una segunda con una guía para los padres con la que podáis realizar en casa estas interesantes y didácticas actividades y ejercicios con los niños, para que aprendan, se diviertan y desarrollen nuevas habilidades.

LAS ENSEÑANZAS ALTERNATIVAS

No existe una definición precisa acerca de lo que podríamos definir como educación alternativa. En lo que al ámbito educativo se refiere, no todo es blanco o negro, la escala de grises es amplísima. Pero sí que es cierto que, en los últimos años, se suele hablar de educación alternativa como aquella que emplea métodos diferentes a los formales u oficiales. Normalmente, las escuelas que la practican se caracterizan fundamentalmente por emplear pedagogías que personalizan de una forma más evidente la enseñanza de los niños, fomentan más la libertad individual y la autonomía, así como la participación activa tanto de ellos como de sus familias. Adaptan el currículo escolar al desarrollo del alumno de una forma más evidente y los objetivos se flexibilizan adaptándolos al proceso individual del aprendizaje. El docente tiene un papel más de orientador y guía, se fomenta el espíritu crítico, se favorece la interacción y cooperación de los niños a la hora de adquirir conocimientos, a la vez que ejercicios basados en la experiencia tienen más cabida. De la misma forma, las estructuras de clases son menos rígidas y no solo están basadas en la edad. Eso no quiere decir que no haya escuelas a las que podríamos llamar «tradicionales» que no lo pongan en práctica, pero no de una forma tan sistemática y estructurada como en las llamadas «alternativas».

En lo tocante a educación, la polémica está servida y no es difícil encontrar opiniones muy enfrentadas. Sin embargo, el sentido común nos lleva a pensar que, cuando buena parte de la comunidad educativa tiene claro que hay que fomentar cambios en la escuela para adaptarse a la sociedad en la que vivimos y así lo está haciendo, es que es una necesidad. El hecho además de que buena parte de las metodologías alternativas (como pueden ser Montessori, Waldorf, Reggio Emilia o las Escuelas Libres) promuevan el desarrollo de una serie de conductas y habilidades que casan mejor con algunas de las exigencias profesionales y personales que se demandan a nivel global, ha tenido mucho que ver con el éxito indudable y el interés creciente que están teniendo en los últimos años.

Precisamente en este libro, nuestro objetivo es recoger aquellas actividades de estas pedagogías que fomentan este tipo de habilidades y que nos parece muy necesario abordar desde la infancia también en el hogar, y no solo en la escuela.

Pero primero de todo, vamos a describir el origen y los principios básicos de este tipo de enseñanzas:

• Método Montessori.
• Método Waldorf.
• Método Reggio Emilia.
• Escuelas libres y democráticas.
• Escuelas alternativas en España.
• Escuelas alternativas en el resto del mundo.

1. La metodología Montessori

Si a María Montessori le hubiera tocado vivir en la sociedad actual, tendría sin duda mucho que decir de la revolución educativa en la que nos hayamos inmersos. Sus ideas, muchas de las cuales ahora nos parecen de sentido común, fueron muy renovadoras y determinaron la forma de educar del futuro.

María Montessori nació en 1870, en Chiaravalle, una localidad italiana situada en la provincia de Ancona. En sus biografías se la define como educadora, pedagoga, científica, médica, psiquiatra, filósofa, antropóloga y psicóloga, lo que nos pone de manifiesto la extraordinaria capacidad de esta mujer a partir de la cual la educación no volvió a ser igual. Estudió Medicina cuando prácticamente ninguna mujer lo hacía (de hecho, tuvo que enfrentarse a su familia) y se convirtió en la primera Doctora de Italia. Se especializó en Psiquiatría y en seguida mostró un gran interés por los niños, a los que la sociedad entonces definía como «deficientes», volcándose especialmente en sus necesidades educativas. Ella estaba convencida de que su educación debía estar basada en el conocimiento científico, somático y psíquico de los niños. Partiendo de la observación y el método científico, desarrolló una nueva pedagogía que trascendió al conjunto de los niños y que, como principal novedad, desplazaba el centro de gravedad de la educación de los profesores a los propios alumnos y el desarrollo de su autonomía personal.

Su método fue expuesto en el libro *Il metodo della pedagogia scientifica applicato all›autoeducazione infantile nella Casa dei bambini,* publicado en 1909, precisamente el año en el que abrió su ya famosa *Casa dei Bambini* (Casa de los Niños), en San Lorenzo, Roma, dedicada a la educación infantil de los primeros años.

María observó que los niños tienen una curiosidad innata a la hora de hacerse preguntas y encontrar las respuestas en su propio entorno. Y se preguntó: ¿Por qué no aprovechar esta capacidad poniéndoles a su alcance un ambiente que favorezca el hecho de que resuelvan sus dudas por sí mismos? De esta forma, y con el objetivo de mantener viva esa curiosidad, desarrolló un ambiente preparado, una «Casa de los Niños», con un material específico destinado a ejercitar los sentidos, con objetos apropiados a los intereses de los niños de esa edad y con unas proporciones ajustadas a su pequeño tamaño. Vamos, lo que hoy podemos encontrar en cualquier escuela infantil y que, en aquellos años, era una auténtica excepción. Mediante el empleo de este material, cuya elección era libre y se basaba en el trabajo personal, los niños podían dar solución a sus inquietudes y su aprendizaje de vida práctica.

Con esta premisa, la metodología de María Montessori fomentaba —y continúa haciéndolo— las siguientes virtudes:

— Autonomía.
— Independencia.
— Iniciativa.
— Capacidad de elección.
— Desarrollo de la voluntad.
— Autodisciplina.

En definitiva, mediante una gran diversificación del trabajo y el acceso a distintos materiales adaptados, y teniendo siempre presente la libertad del niño como eje de acción, se logra que el niño aprenda por sí mismo y al ritmo de sus propios descubrimientos. El error deja de ser algo negativo, pues mediante la repetición permite que vaya aprendiendo y fomentando su autonomía.

Y no solo eso. María Montessori describió y estructuró a través de la observación diferentes etapas de la evolución de los niños. Por ejemplo, los periodos sensitivos o los cuatro planos del desarrollo. En el caso de los primeros, describió cómo los niños atravesaban diferentes etapas en las que mostraban un especial interés por ciertas áreas de conocimiento y tenían una capacidad especial para desarrollarlos. Son períodos con sensibilidades especiales que se encuentran en los estados infantiles, los cuales son pasajeros y se limitan a la adquisición de un carácter determinado. Se pueden resumir en los siguientes:

• El lenguaje, entre los 2 meses y los 6 años.
• La coordinación de movimientos, entre los 18 meses y los 4 años.
• El orden, desde el nacimiento hasta los 6 años.
• El refinamiento de los sentidos, entre los 18 meses y los 5 años.
• El comportamiento social, desde los 2 años y medio hasta los 6 años.
• Los objetos pequeños, hacia el segundo año.

En cuanto a los cuatro planos del desarrollo, los estructuró en Infancia o Mente Absorbente (0-6 años), Niñez (6-12 años) Adolescencia (12-18) y Madurez (18-24 años). En cada uno de ellos explicó los avances que se logran y las necesidades específicas en la educación.

En base a este tipo de análisis, María estructuró su sistema de enseñanza con el objetivo de convertirla en algo agradable y motivador para el niño. Y al mismo tiempo, eficaz. Sin duda, su propuesta supuso un antes y un después en la enseñanza. Resulta extraordinario leer actualmente su obra y darse cuenta de que buena parte de las bases sobre las que se asienta la revolución educativa actual, beben directamente de la fuente de esta pedagoga italiana que realizó un diagnóstico trascendental de cómo debe ser la educación de los niños.

Con la llegada del fascismo a Italia en los años 30 del siglo pasado, María se convirtió en una persona *non grata* en el país, hasta el punto de que tuvo que exiliarse. No cejó en su empeño y se dedicó a dar a conocer su método en otros países formando a profesores de todo el mundo. Los años de la II Guerra Mundial le marcaron y afianzaron su idea de la importancia de promover una educación basada en la paz y en el respeto.

Cuando volvió a Italia en 1947, ya era una figura reconocida a nivel mundial en el ámbito educativo, y su país le recibió con las puertas abiertas. En la actualidad, se calcula que existen más de 150.000 Escuelas Montessori en todo el mundo.

2. La metodología Waldorf

En el año 1919, abrió en Stuttgart la primera Escuela Waldorf cuyos alumnos eran los hijos de los trabajadores de la fábrica de cigarrillos Waldorf-Astoria, situada en esta ciudad alemana. La idea surgió después de que un filósofo y escritor llamado Rudolf Steiner, nacido en la actual Croacia (en aquellos años perteneciente al Imperio austrohúngaro) visitase la fábrica y hablase a sus obreros acerca de la necesidad de transformar la sociedad. Steiner se había labrado un impresionante currículum. Doctor en Filosofía por la Universidad de Rostock en Alemania y diplomado por el Instituto Politécnico de

Viena, realizó estudios de Física, Química, Matemáticas y Biología. Era un reconocido filósofo que había escrito libros de gran repercusión como *Ciencia y verdad* o la *Filosofía de la libertad*. Experto en la obra de Goethe y Nietzsche, desarrolló una corriente conocida como Antroposofía que —a grandes rasgos— ahondaba en la importancia de la espiritualidad en todos los aspectos de la vida del hombre: social, intelectual, científico... Steiner desarrolló las bases de un camino espiritual, una ética individual, para alcanzar una nueva forma de sabiduría que integrara las diferentes dimensiones de la persona.

Para dar a conocer sus ideas, Rudolf Steiner realizaba conferencias en Europa. Una de ellas tuvo lugar en la citada fábrica de cigarrillos, causando un gran impacto en el dueño de la misma, el empresario Emil Molt. Tras escuchar sus palabras, Molt ofreció a Rudolf crear una escuela para los hijos de sus trabajadores donde pudieran ser educados según esta nueva forma de ver el mundo. Steiner accedió y comenzaron las clases. Un año después, se abrieron veintiún Escuelas Waldorf en el resto del país. El éxito fue arrollador y desde entonces no dejaron de crecer en todo el mundo.

Es importante recordar que cuando abrió la primera Escuela Waldorf, Europa vivía uno de los momentos más convulsos de su historia. Acababa de terminar la Primera Guerra Mundial y la idea de transformar la sociedad para evitar que algo así volviese a suceder estaba muy arraigada.

La pedagogía de Steiner se basaba en su visión del funcionamiento del hombre y de la estructura de la sociedad. En lo que se refiere al hombre, el filósofo desarrolló una educación en la que, desde los primeros años, se tuvieran en cuenta de forma global las dimensiones física, intelectual y espiritual. Al mismo tiempo, debía tenerse en cuenta lo que él llamaba la Triformación social, que hace referencia a las tres grandes esferas que tienen que ver con el desempeño del hombre en la sociedad en la que vive: la esfera económica, la esfera del derecho y la política y la esfera cultural y espiritual.

Steiner estructuró la enseñanza en función de su propia división del desarrollo del niño, que estableció en tres etapas de siete años cada una, en cada una de las cuales se desarrollaban determinados pensamientos y actitudes. De esta forma la educación discurriría armónica con el desarrollo del niño:

• **Primer septenio (0-6 años).** En este período el niño aprende de su entorno a través de la experimentación con sus sentidos. La educación, de esta forma, debe basarse en el juego y en la experiencia, con el objetivo de que desarrolle su libertad y su creatividad. En estos años es fundamental poner a su disposición un entorno que se asemeje lo más posible a la realidad pero adaptado a los niños, de tal forma que pueda desarrollar la imitación del mundo que le rodea para aprender. El ritmo de cada niño debe ser respetado y el profesor tiene que facilitar al niño su interés por el aprendizaje.

• **Segundo septenio (7-14 años)** Durante estos años, el aprendizaje imaginativo tiene una gran importancia. Los niños tienen un grandísimo interés por conocer todo aquello que les rodea y el profesor juega un papel básico, pues acerca el conocimiento a su propia individualidad y fomenta su espíritu crítico. El arte es una herramienta básica para explicar los contenidos a los niños que siempre tienen presente la belleza y los sentimientos que evocan cada una de las disciplinas educativas que se van introduciendo según el nivel madurativo del niño.

• **Tercer septenio (15-21)** En esta etapa, los jóvenes están en búsqueda de su propia identidad, y la escuela debe facilitarles este desarrollo. Su interés por el aprendizaje es distinto y los maestros deben ayudar a que las capacidades de los alumnos vayan emergiendo a través de las diferentes materias y actividades. El objetivo es el desarrollo pleno de la persona en todas sus dimensiones.

El respeto a los ritmos y el desarrollo del niño, la libertad de pensamiento y la creatividad son, de esta forma, aspectos esenciales de esta educación.

Otro apartado fundamental de la pedagogía Waldorf es la euritmia, un concepto que hace referencia al movimiento armonioso. Para Rudolf Steiner se trata de una herramienta pedagógica y

estética que se traduce en el arte del movimiento y que permite a los niños expresar sus sentimientos más profundos y mejorar su agilidad, su movilidad y su plasticidad.

Todo este método de enseñanza tiene un pilar fundamental en colaboración con las familias. Las Escuelas Waldorf, por lo general, trabajan en forma de cooperativa y la relación con los padres es muy estrecha. Su participación es esencial en todas las áreas de la vida escolar. El objetivo es fomentar el compromiso, la cooperación y el consenso y transmitir a su vez estos valores a los propios estudiantes, cuyas opiniones son tenidas muy en cuenta.

En la actualidad, se calcula que existen alrededor de 1.026 Escuelas Waldorf, 2.000 centros de educación infantil y 700 centros de educación especial por todo el mundo.

3. La metodología Reggio Emilia

La metodología Reggio Emilia surgió en la ciudad italiana del mismo nombre, en el año 1945, al finalizar la Primera Guerra Mundial. Al igual que en otros lugares de Europa, en esta localidad había una gran cantidad de mujeres que habían enviudado al finalizar la contienda y que tuvieron que ponerse a trabajar. Una de sus mayores preocupaciones era encontrar un lugar donde poder dejar a sus hijos, algunos de ellos con problemas de salud debido a las duras condiciones de la posguerra. Su gran inquietud por ofrecerles una buena educación les llevó a unirse para poner en marcha una nueva escuela. La implicación de los habitantes de Reggio Emilia fue total, hasta el punto de que se dedicaron a buscar restos de material bélico por la zona para venderlo y conseguir dinero para el mantenimiento de las escuelas. Lograron un gran éxito a base de esfuerzo y dedicación y diversos medios de comunicación de todo el país se hicieron eco de esta iniciativa.

Precisamente una de estas crónicas, llamó la atención del periodista y pedagogo Loris Magaluzzi, que decidió viajar hasta esta localidad para informarse de primera mano de lo que estaba sucediendo en estas escuelas. Su experiencia le impactó tanto que decidió quedarse a vivir allí para dotar de estructura e impulsar la creación de este método de enseñanza que años después sería reconocida como la mejor pedagogía preescolar del mundo por la UNESCO y recomendada por la Unión Europea y la Universidad de Harvard.

La base de esta metodología es la concepción de la formación del niño como una interacción constante con el entorno que le rodea. De esta forma, se considera a la escuela como un espacio vivo en el que se enseña a partir de experiencias reales y acontecimientos. Para lograrlo, se debe crear un entorno amable con los niños, donde puedan sentirse cómodos y donde se potencie su capacidad de acción, su imaginación y su creatividad. Es una pedagogía participativa, democrática, que se puede modelar a cada momento en función de lo que los niños experimentan.

En una Escuela Reggio Emilia se cuida mucho la distribución del espacio en la clase, el tipo de material y el entorno, porque debe favorecer en todo momento el aprendizaje voluntario. Es una metodología que parte de la base de que las capacidades de los niños se van manifestando de forma espontánea y no debe existir una unidireccionalidad en el aprendizaje del profesor al alumno. Los maestros deben motivar a los niños para que construyan sus propios pensamientos y los comuniquen de la manera que les resulte más inmediata y atractiva. Por eso juega un papel fundamental la enseñanza artística. Del mismo modo, la participación de las familias en el aprendizaje de sus hijos es fundamental y se concibe como una forma de intercambio entre adultos y niños que enriquece a todas las partes. Los padres tienen un rol muy activo y participan en el diseño de las clases y la formación de los niños.

Algunas de las características más identificativas de estas escuelas son las siguientes:

• **La filosofía de los «100 lenguajes»,** es decir, las diferentes maneras que tiene un niño de comunicarse, tal y como lo denominaba Loris Magaluzzi: diferentes disciplinas como la pintura, la escritura, el baile, la canción o el juego son herramientas perfectas para que el niño dé a conocer sus pensamientos y emociones.

• **La pedagogía de la escucha.** Se trata de un elemento fundamental en esta metodología y se transmite a los niños desde el comienzo. Debe partir del respeto a lo que tratan de comunicar los niños y los profesores, un respeto mutuo.

• **La existencia de numerosos espacios verdes: patios, huertos, jardines** que se configuran como un espacio esencial para la enseñanza, pues permiten un contacto directo con experiencias que acercan al niño al mundo real.

• **La figura del «atelier» y el «atelierista»:** se trata de un espacio específico, un taller artístico a cargo de un profesional de las artes visuales y plásticas. Ofrece diferentes propuestas a los niños para que experimenten con materiales y técnicas y de esta forma desarrollan sus capacidades artísticas.

• **El papel del profesor como guía de los niños.** No trata de imponer sino ayudarles a desarrollarse con plenitud en sus múltiples dimensiones.

• **La documentación pedagógica.** En las Escuelas Reggio Emilia es fundamental documentar el trabajo que se realiza, mediante textos, fotografías, dibujos… Permite a los padres permanecer informados del trabajo que realizan sus hijos, también facilita la labor de los maestros para hacer un seguimiento personalizado de cada niño y, al mismo tiempo, hace conscientes a los alumnos del trabajo que han realizado y de la evolución personal y del grupo.

• **Enseñanza mediante proyectos.** Los proyectos permiten que los niños se involucren de una forma más global en su aprendizaje y les ofrece la oportunidad de trabajar con aspectos menos abstractos y más cercanos a su realidad cotidiana.

En definitiva, se trata de una pedagogía en la que la participación del grupo, el diálogo, la personalización y la adaptación a las diferentes evoluciones de los niños es fundamental. Hoy en día se han convertido en una de las pedagogías alternativas con más proyección de futuro en todo el mundo.

4. Las Escuelas Libres

Encontrar una definición de Escuela Libre no es tarea sencilla, porque engloba a una serie de centros educativos que proponen una metodología diferente a la convencional. Generalmente se trata de escuelas autogestionadas, puestas en marcha por un grupo de padres o pedagogos y con un proyecto propio y en el que la personalización de la educación y el respeto al ritmo de aprendizaje de cada niño es fundamental. Por lo tanto, cada centro es diferente a los demás y pone en práctica un modelo propio que suele absorber ideas de otras metodologías más establecidas, como Waldorf o Montessori, pero dotándolas de un carácter propio y único.

En los últimos años están proliferando muchísimo en todo el mundo, aunque hay que señalar que su origen se remonta a finales del siglo XIX, cuando comenzaron a surgir centros educativos que se planteaban ofrecer una educación distinta. Aparecieron en una época de transformación social y de modernización y fueron una repuesta a las necesidades de cambio que existían en amplias capas de la población.

Como su propio nombre indica, la libertad personal es un aspecto fundamental de este tipo de escuelas. El concepto que se pone en práctica se refiere a una libertad responsable. Es decir, se promueve la libertad a la hora de tomar decisiones y fomentar la autonomía de los alumnos, pero siempre teniendo en cuenta el respeto a las necesidades de los demás.

No siempre cuentan con un currículum previo, ya que se considera que tanto los contenidos académicos como la manera de abordarlos van surgiendo espontáneamente según las necesidades y las propuestas del niño en las distintas fases de su desarrollo.

Generalmente, se hace un especial hincapié en el aprendizaje vivencial y activo y las actividades suelen ser de carácter voluntario. Es el propio niño el que decide cuáles quiere llevar a cabo y el tiempo que le dedica a cada una de ellas.

El papel de las familias es fundamental y tienen una participación constante en el aprendizaje, lo que no es difícil teniendo en cuenta que buena parte de estas escuelas han sido puestas en marcha por un grupo de familias.

Otra de las características es el énfasis que se pone en las vivencias emocionales y físicas de los niños, que constituyen la base del desarrollo del conocimiento. Otorgan mucha importancia a la experimentación y a la manipulación de los materiales, buscando en la medida de la posible que respondan a la iniciativa propia de los alumnos.

5. Las Escuelas Democráticas

La primera escuela democrática denominada como tal se creó en 1987, en Hadera, Israel. Fue puesta en marcha por Yaacov Hecht, un pedagogo que padeció dislexia, condición que le hizo reflexionar acerca de la educación que recibía y de las limitaciones que se encontraba. Él mismo pudo comprobar cómo algunas disciplinas se le daban especialmente bien, mientras que otras le costaban un gran esfuerzo y no lograba destacar. La educación tradicional no respondía a sus necesidades así que abandonó el colegio abrumado por sus fracasos. Hoy en día, sigue teniendo dificultades con su dislexia, pero es uno de los asesores en educación más importantes de todo el mundo, así como el promotor de las Escuelas Democráticas.

Es importante señalar que, aunque la de Hecht fue la primera en utilizar esta denominación, antes de esa fecha hubo escuelas que previamente se inspiraron en estos principios para fomentar metodologías de educación diferentes, como la mítica Summerhill School, fundada el año 1921 por A. S. Neill, o la Fundación de Subury Valley School, de 1968, centros educativos en los que la participación de los alumnos es libre e igualitaria y sin la presencia de una jerarquía determinada.

Las características más importantes de estas escuelas son las siguientes:

• Las reglas de la escuela, las decisiones más importantes, los procesos de aprendizaje... todo lo que tiene que ver con la educación se debate entre profesores y alumnos, en **Asambleas Democráticas en las que cada opinión cuenta lo mismo.**

• **Por lo tanto, no se sigue un currículum prefijado.** El aprendizaje es resultado de la acción voluntaria y la autonomía personal. El alumno decide qué, cómo, cuándo y con quién aprende. Tampoco se califica al niño a la manera tradicional, se trata más bien de una evaluación continua en la que el propio sujeto tiene la palabra.

• Es un modelo educativo basado en el respeto hacia el niño, y en los derechos humanos. Se fomenta mucho la conversación y el intercambio de ideas, para que sean los propios alumnos los que vayan descubriendo sus intereses y habilidades y puedan enfocarse hacia ellos.

• **Buena parte de la educación se realiza en el exterior, y se fomenta mucho el juego libre** para potenciar, entre otros aspectos, las habilidades sociales.

• **En la mayoría de estas escuelas existe la figura del Comité Judicial,** formado por niños preparados para ello elegidos por la Asamblea, que se encarga de abordar los conflictos que se producen en clase con el objetivo de lograr un entendimiento entre las partes.

Se calcula, a día de hoy, que existen más de 400 Escuelas Democráticas en todo el mundo, principalmente en Estados Unidos e Israel. En este último país, incluso, forman parte de la red de colegios públicos.

6. Escuelas alternativas en España

Enmarcadas –la mayor parte de ellas– dentro de lo que se podrían llamar las *Escuelas Libres*, en nuestro país existen diferentes propuestas educativas, algunas más longevas y otras más recientes, que han supuesto una auténtica revolución a la hora de educar.

Nacidas generalmente por iniciativa de grupos de padres o profesores, han desarrollado una metodología propia y se han asentado en el panorama educativo de nuestro país, muchas de ellas con gran éxito. Estas son algunas de ellas:

■ Escuelas Amara Berri

Lo que comenzó siendo una iniciativa de docentes en un Colegio Público de San Sebastián, se ha convertido en un proyecto pedagógico de gran envergadura, con veinte centros en el País Vasco, principalmente, Canarias, Cataluña y Cantabria. La impulsora es Loli Anaut, una profesora y pedagoga que ya en los años 70 impulsó en los jesuitas de Durango una forma de enseñar innovadora que exploraba otros métodos de enseñanza alternativos. Esta experiencia le llevó en los 70 a desarrollar en el Colegio Público Amara Berri de la capital guipuzcoana una metodología propia, que primero implanta en Infantil y que progresivamente se consolidará en el proyecto «La globalización como proceso vital dentro de un sistema abierto». La experiencia fue muy positiva y logró consolidarse en el País Vasco, hasta el punto de que se extendió a otros centros y el Gobierno Vasco lo reconoció como Centro de Innovación Pedagógica.

Tal y como las definen ellos mismos, el Sistema Amara Berri desarrolla el marco teórico competencial concretándolo en actividades de aula que conllevan cambios metodológicos en la práctica educativa y organizativos en el funcionamiento. «Estos cambios generan nuevos roles y formas de hacer entre los elementos que conforman las comunidades educativas». De esta forma, ponen en marcha proyectos globales —en lugar de asignaturas— que posibilitan avanzar en esta dirección. «Consideramos importante que, desde una perspectiva global, todas las iniciativas que surjan se vayan incorporando al cuerpo cultural de cada escuela; una cultura propia, en permanente crecimiento, en el que todos y todas nos sintamos implicados y en el que la mejora sea no solo un fin, sino también un medio».

En este Sistema, la investigación, la experimentación y la innovación son una característica fundamental. «Asegurar la coherencia entre la intencionalidad (PEC), la plasmación práctica (PCC) y las estructuras organizativas y de formación del centro es una de nuestras prioridades», destacan.

La acción educativa se centra en cada alumno y en cada alumna. «Cuando situamos al alumnado en el eje de nuestro hacer pretendemos que ante cualquier análisis que hagamos no perdamos de vista su desarrollo, su bien, por encima de otros intereses del profesorado, de las familias, entidades, etc.». De esta manera, a cada alumno y a cada alumna lo definen como un ser global, con sus propios intereses y motivaciones, con unos esquemas conceptuales y emocionales determinados y que posee su propio potencial individual. Con estas premisas, desarrollan una pedagogía que, tal y como ellos subrayan, tiene estas características:

• **La programación se lleva a cabo por actividades vitales** en las cuales reina un enfoque multidisciplinar.

• **Utilizan la mediateca,** un conjunto de recursos relacionados con las tecnologías de la información y la comunicación.

• **Mezcla de edades** para favorecer la creación de un marco de interacción social.

• **Fomentan la crítica constructiva** como factor de avance.

• **Todas las actividades tienen una razón de ser** que da un sentido y una explicación ante el alumnado mismo.

• **Desarrollan un método de trabajo** mediante el cual los alumnos deben realizar sus actividades.

• **Consideran la diversidad como un factor enriquecedor** del conjunto.

• **Cada profesor o profesora se especializa en un Departamento,** por lo que cada grupo de niños tiene varios profesores.

▪ Bosque-Escuelas

El proyecto de las Bosque-Escuelas es un movimiento global que ha surgido en diversos países fruto de la concepción de maestros y pedagogos que consideran que el contacto con la naturaleza es la mejor vía de conocimiento para los niños. El primer centro de estas características definido como tal se creó en 1950 en Dinamarca, y su impulsora fue Ella Flautau. En los años 60, se extendieron por Alemania y, hoy en día, se han asentado en casi toda Europa, Estados Unidos y Asia.

En España, a comienzos del siglo XX, hubo también determinados intelectuales que señalaron la importancia de educar a los niños al aire libre, de hecho, era uno de los principios que promulgaba la Institución Libre de Enseñanza que creó en 1876 un grupo de liberales en Madrid. Esta corriente se sustanció en las inicialmente llamadas «Escuelas de Bosque», cuyos mejores ejemplos fueron las de Montjuic en Barcelona y la de la Dehesa de la Villa en Madrid, creadas en un principio para niños de carácter enfermizo que mejoraban notablemente con el contacto al aire libre. Pero, desgraciadamente, la Guerra Civil truncó aquellos proyectos.

En este siglo se han desarrollado otras iniciativas parecidas en España, hasta que finalmente en el año 2015 se creó en Cerceda (Madrid) la primera Bosque-Escuela homologada de España para Educación Infantil. En la actualidad, se pueden encontrar además de en Madrid, en Barcelona, País Vasco, Galicia, Canarias, Valencia y Baleares.

Según sus propios promotores, estas son las características de las Bosque-Escuelas:

• **Las actividades se realizan al aire libre** y con materiales naturales, cumpliendo con los objetivos marcados por el currículum oficial, incluidos los de lectoescritura y matemáticas.

• **La única instalación que se necesita es una cabaña de madera** que se usa como refugio, ya que el aula es la naturaleza. La cabaña está ubicada en pleno bosque siendo accesible por carretera.

• **Las jornadas escolares** se desarrollan tanto en los alrededores directos de la cabaña como en el monte. Diariamente se realizan paseos o pequeñas excursiones por la naturaleza partiendo desde la cabaña.

• **Los niños y las niñas conviven diariamente con la naturaleza.** Los árboles, las piedras, los animales, la tierra, etc. les ofrecen recursos educativos ilimitados. Esto les permite desarrollarse y crecer en armonía con el entorno que les rodea sin necesidad de contar con libros de texto.

• **A través del juego libre** los niños y niñas pueden elegir con quién, dónde y a qué dedicarse, mientras que el equipo docente crea el ambiente que garantiza su bienestar y seguridad. En su juego son ellos quienes se marcan sus propios retos y quienes definen el grado de dificultad que pueden y quieren superar.

• **Enseñan en inglés con un enfoque comunicativo.** Un enfoque en el que el centro de aprendizaje es la interacción lingüística del profesor con el grupo-clase. Por eso en las Bosque-Escuelas uno de los educadores se comunicará durante toda la jornada escolar en inglés.

• **En este modelo no se separa al alumnado por cursos.** Todos los niños y niñas del ciclo están en el mismo grupo. Los pequeños aprenden de los mayores y los mayores aprenden de los pequeños.

Las Comunidades de Aprendizaje

Cataluña siempre ha sido un epicentro de innovación educativa en nuestro país. Una de las iniciativas que se han llevada a cabo son las llamadas Comunidades de Aprendizaje, creadas en 1990 por el Centro de Investigación en Teorías y Prácticas para la Superación de las Desigualdades (CREA), de la Universidad de Barcelona. «Sobre la base de los conocimientos acumulados por la comunidad científica internacional y en colaboración con los principales autores de diferentes disciplinas de todo el mundo, promovió la implementación de Comunidades de Aprendizaje en preescolar, primaria y secundaria». Tal y como destacan sus promotores, cuentan con una base científica muy sólida, desarrollada a lo largo de más de treinta años de investigación y que involucra hoy en día a un equipo de más de setenta especialistas de diferentes países y diversos campos del conocimiento.

Tienen una base científica refrendada por el Proyecto INCLUDED, de la Comisión Europea, que analiza las estrategias educativas que ayudan a superar las desigualdades y mejorar los resultados de aprendizaje. Fue precisamente este texto el que impulsó por parte del CREA las llamadas Actuaciones Educativas de Éxito, «aquellas prácticas que comprobadamente han dado los mejores resultados en la educación, y que cuentan con el aval de la comunidad científica internacional. La característica diferencial de estas Actuaciones Educativas de Éxito es el hecho de que son universales: han demostrado los mejores resultados en los más diferentes contextos».

Son las siguientes:

• **Grupos interactivos.** Consiste en el agrupamiento de todos los alumnos de un aula en subgrupos de cuatro o cinco jóvenes, de la forma más heterogénea posible, en los que se incorpora una persona adulta de la escuela o de la comunidad que prepara tantas actividades como grupos hay (normalmente 4). Los grupos cambian de actividad cada 15 o 20 minutos. Los alumnos resuelven las actividades interactuando entre sí por medio de un diálogo igualitario. Deben participar todos los integrantes del grupo para contribuir solidariamente con la resolución de la tarea.

• **Tertulias dialógicas.** Se trabaja con las mejores creaciones de la humanidad en disciplinas como la literatura, el arte o la música. La tertulia se desarrolla compartiendo aquellas ideas o tramos de la obra que los participantes previamente han seleccionado y se genera un intercambio que permite una mayor profundidad en los temas y promueve la construcción de nuevos conocimientos.

• **Biblioteca tutorizada.** Fuera del horario lectivo, permanece abierta la biblioteca con la ayuda de un grupo de voluntarios que promueven actividades como el seguimiento de las tareas escolares, lectura dialógica, búsqueda de informaciones para proyectos o actividades con computadoras con alumnos de diferentes edades que conforman un grupo.

• **Formación a familiares.** La formación de las familias en el método es fundamental, por eso la propia escuela ofrece espacios y programas de formación.

• **Participación de la comunidad educativa.** Para que el proyecto tenga un éxito total, se promueve la participación de alumnos, familias y la comunidad educativa de forma global, principalmente a través de dos vías, la participación directa en las propias Actuaciones Educativas de Éxito y a través de la participación en la gestión y en la organización del centro educativo por medio de comisiones mixtas de trabajo.

• **Modelo dialógico** de prevención y resolución de conflictos. El diálogo es la base para alcanzar el consenso, la característica fundamental de estas escuelas. A través de un diálogo igualitario, se construyen las normas de la escuela que todo el mundo debe respetar y aquellos procedimientos que serán adoptados en caso de que estas normas sean transgredidas. En definitiva, se establece un marco de convivencia aceptado por todos.

• **Formación pedagógica dialógica.** Para desarrollarla, sobre todo por parte de los profesores, deben estar preparados y formarse en las Actuaciones Educativas de Éxito.

En la actualidad, hay en alrededor de 20 escuelas de este tipo. Para lograrlo, han tenido desarrollar un proceso de transformación y aplicar las Actuaciones Educativas de Éxito, que se llevan a cabo en diferentes etapas.

Horitzó 2020 Jesuitas

Los colegios de Jesuitas de Catalunya, que albergan en sus aulas a más de 13.000 alumnos, han implantado un nuevo modelo de enseñanza alternativo que ha supuesto un antes y un después en la enseñanza educativa religiosa concertada en España. Tal y como ellos destacan, su nueva propuesta pedagógica nace de la aportación de diversas tendencias de la pedagogía actual, y de una aplicación convencida y real de algunas aportaciones del último siglo, como son el conductismo, la psicología evolutiva, la psicología del desarrollo personal, la psicología cognitiva, el constructivismo o las teorías del procesamiento de la información. Y, en especial, las aportaciones de la neurociencia.

Lo primero que hicieron fue poner en marcha un amplio proceso de participación para preguntar qué escuela querían, involucrando a los más de 1.000 educadores de su red, alumnos, más de 2.000 familias y a un centenar de personas de perfiles diversos que no estaban directamente relacionadas con las escuelas. En total, se llevaron a cabo 414 sesiones de reflexión, en las que participaron 11.484 alumnos desde tres años hasta los mayores de la Formación Profesional, que aportaron 45.320 ideas acerca de la escuela que querían. Tal y como destacan los responsables de estas escuelas, «las ideas más repetidas estaban relacionadas con una escuela más integrada en la realidad (colores, luz, confortabilidad en el mobiliario, espacios informales y de relación interpersonal, trabajos con proyectos reales y relacionados con sus intereses, incluso profesores "más amables")».

De esta consulta y tras muchos meses de trabajo, surgió una nueva propuesta que ellos definen en los siguientes términos:

• **La metodología.** Potencian la curiosidad y la creatividad. Incrementan el trabajo autónomo y el razonamiento científico, con una pedagogía por proyectos y basada en problemas, con actividades relacionadas con la realidad cotidiana del alumno. Se combina el aprendizaje por recepción, trabajo individual y trabajo cooperativo. Se trabaja con las inteligencias múltiples. Los recursos tecnológicos están integrados en el proceso de enseñanza-aprendizaje, con dispositivos digitales y espacios virtuales (NET) a disposición de los alumnos.

• **El alumno es el centro.** Es el centro del proceso de enseñanza y aprendizaje. Se convierte en un alumno activo y autónomo, desarrolla proyectos personales y en equipo. Le ayudan a desarrollar el autoconocimiento y el sentido crítico con el objetivo de que construya su proyecto vital.

• **La organización.** Agrupaciones flexibles de 50-60 alumnos acompañados por un equipo de 2-3 profesores que interactúan al mismo tiempo, combinando el trabajo individual, en pequeño grupo, y en gran grupo.

• **El espacio físico.** Espacios más amplios y polivalentes, alegres, bien iluminados y minimizando el ruido. Mobiliario versátil adaptado al ritmo de trabajo del alumno.

• **Los profesores.** Un equipo de profesores reducido, con titulación polivalente, que trabajan en el aula y evalúan conjuntamente a un mismo grupo de alumnos. Se hacen cargo de la tutoría compartida de los alumnos y planifican y programan la organización semanal de espacios y tiempos, y por tanto sin horarios semanales fijos de materias.

• **Los contenidos.** Se relacionan con las competencias a desarrollar, poniendo en juego conocimientos científicos, lingüísticos, históricos, etc. Para resolver un mismo reto referido a situaciones reales. Se trabajan valores como la reflexión, el respeto, la responsabilidad, la justicia y el compromiso social. Evangelización, la educación no formal y las extraescolares quedan integradas en el proyecto educativo.

• **La evaluación.** El modelo de evaluación de los alumnos está vinculado a la adquisición de competencias y de un conocimiento interdisciplinar. Se evalúan los procesos y los resultados. Se potencia la autoevaluación y la evaluación entre alumnos.

• **Las familias.** Junto con los alumnos y los profesores, forman el esqueleto del nuevo modelo pedagógico. Participan y colaboran en el proceso de enseñanza-aprendizaje del alumno. Establecen una comunicación fluida frecuente con las familias, con acceso al expediente académico y los materiales elaborados en las libretas electrónicas.

Escola Nova 21

Este proyecto de reciente creación en Cataluña nace como una alianza impulsada por la fundación Jaume Bofill, la Universitat Oberta de Catalunya (UOC), Unesco-Catalunya y EduCaixa, y reúne a 26 escuelas innovadoras, públicas y concertadas, aunque con el objetivo de que lleguen a casi 500 escuelas en un proyecto que durará tres años.

Sus promotores quieren «crear las condiciones para que las escuelas con prácticas avanzadas se consoliden y mejoren, interactuando entre ellas y generando un ecosistema educativo que dé respuestas a las necesidades del siglo xxi».

El programa tiene una serie de características perfectamente descritas por sus responsables y que son las siguientes:

• **Crear un marco con las características educativas que debería tener una escuela avanzada:**

— Propósito educativo competencial.

— Medidas de logro de aprendizaje referidas a todos los objetivos.

— Prácticas de aprendizaje fundamentadas en el conocimiento de cómo las personas aprenden.

— Una organización dirigida al aprendizaje de todos que actualiza la reflexión y tarea educativas y está abierta y vinculada al entorno.

— Generar los procedimientos y estrategias formativas que posibiliten a las escuelas participantes la transición sistemática desde los modelos tradicionales de enseñanza-aprendizaje en el marco de escuelas avanzadas, partiendo de su propio proyecto educativo.

— Generar conocimiento sobre prácticas educativas avanzadas —en particular, metodologías de trabajo globalizado interdisciplinar— y de su evaluación competencial, así como evidencias del impacto en el aprendizaje.

Escuelas Innovadoras

Y no podemos cerrar este capítulo sin señalar una serie de escuelas que acumulan una larga trayectoria de innovación pedagógica en nuestro país, con gran éxito y esfuerzo, y que han contribuido sin duda a que hoy en día la educación alternativa en España esté viviendo un crecimiento destacable. En la actualidad son tantas, que sería imposible describirlas en este libro, porque eso vamos a hacer una pequeña selección de centros que llevan a cabo este tipo de propuestas.

• Dragón International School

Se define como una Escuela Internacional, Democrática y Orgánica. Con titulación homologada en España y Estados Unidos y situada en Torrelodones, es la primera Escuela Democrática homologada en España. Su modelo de aprendizaje sigue las pautas básicas del aprendizaje implícito. Esto quiere decir que los alumnos aprenden en todas y cada una de las actividades de su día a día. Todos los conceptos que forman parte de sus actividades están interrelacionados.

• CEIP Rosa del Vents

Este Centro de Educación Infantil y Primaria de Artá (Mallorca) forma parte de la Red de Escuelas Públicas para la renovación pedagógica de Mallorca. Su metodología se basa en las aportaciones realizadas en el ámbito de la neurociencia y aboga por respetar el ritmo de aprendizaje de sus alumnos.

• Escuela O Pelouro

En una aldea de Galicia, Caldelas de Tui, el matrimonio formado por Teresa Ubeira y Juan Llauder fundaron en los años 70 este centro gallego centrado en la integración de niños con problemas psicológicos y emocionales. Se basa, tal y como ellos mismos afirman, en la «pedagogía interactiva intersectiva», que conlleva una función escolar basada en la investigación-acción centrada en el niño, con una arquitectura modular conexionada organizada a través de contextos desarrollantes en los que el procesamiento de la información, las emociones y las relaciones impregnan el currículo de dentro-a-fuera y de fuera-a-dentro en una dinámica que propicia la yoización básica y el desarrollo socioindividualizado, concienciado y saludable: ser y hacer, con-vivir y aprender.

• Centro de Formación Padre Piquer

Esta escuela de la Compañía de Jesús cuenta con estudiantes de más de treinta y cinco nacionalidades, lenguas y culturas diferentes y que mayoritariamente provienen de un contexto social de clase media baja. Su metodología se basa en la educación inclusiva donde todos los alumnos y alumnas puedan llegar allá donde sus capacidades se lo permitan, el aprendizaje cooperativo y la posibilidad de realizar diversas tareas de forma paralela en el aula. Sus resultados académicos se sitúan por encima de la media de centros con similares contextos, así como la disminución del absentismo escolar.

• Colegio Khalil Gibran

Situado en el municipio madrileño de Fuenlabrada, utilizan una metodología activa basada en el aprendizaje por competencias a través de proyectos que desarrollan de forma paralela durante el curso, para garantizar un aprendizaje autónomo. Cuentan con un proceso de aprendizaje inclusivo y personal, que atiende a cada estudiante en función de sus necesidades.

• CEE Empordà

Esta Escuela de Rosas (Girona), se centra en desarrollar las capacidades creativas e innovadoras como base de la autonomía y el éxito futuro de sus alumnos. Forma parte de la Red de Escuelas Creativas que se está creando en Cataluña a través de la Fundación para la Creatividad.

• Escuela Magea

Se trata de un proyecto educativo, auto gestionado y sin ánimo de lucro, formado por un grupo de familias constituidas como Cooperativa de Iniciativa Social. Situada en Castrillo del Val (Burgos), desarrollan el aprendizaje activo para potenciar las capacidades del pensamiento crítico y el pensamiento creativo. Se inspiran en metodologías activas.

▣ Escuelas alternativas en el mundo

A las ya clásicas escuelas alternativas que hay por todo el mundo —algunas con más de cien años de historia— se han unido en los últimos años nuevas propuestas que han venido a enriquecer el panorama educativo internacional. Estas son algunas de estas nuevas propuestas que podemos encontrar hoy en día.

• Alt School
La llamada Escuela de Silicon Valley fue creada por uno de los fundadores de Google+, Max Ventilla, junto con su mujer. Cuando ambos quisieron escolarizar a sus hijos, se dieron cuenta de que prácticamente no les gustaba ninguna, así que decidieron poner en marcha la suya propia. De momento, tienen sede en San Francisco y Nueva York, aunque con el éxito que están teniendo pronto abrirán más en el resto de Estados Unidos. Siguen un aprendizaje basado en proyectos que se desarrollan en unas aulas amplias y funcionales donde los niños estudian en grupos pequeños que se van alternando para facilitar la comunicación y la colaboración entre ellos.

Quizá el elemento más innovador de esta escuela es el hecho de que se sigue una educación completamente personalizada, a través de dispositivos electrónicos (tablets e ipads) que posee cada alumno y en los que están presentes los contenidos y ejercicios que deben realizar. El currículo de los niños se diseña de forma individual de acuerdo con padres y educadores y los alumnos pueden seguir su propio ritmo y autoevaluarse completamente. Cuentan con el apoyo del profesorado que ha debido seguir una formación especial y que trabaja con grupos pequeños para hacer un seguimiento exhaustivo. Las nuevas tecnologías están completamente integradas en la enseñanza, metodología que complementan con continuas excursiones y salidas a parques, museos y demás centros de interés.

• Colegio Fontán

«Somos la institución educativa más innovadora de Latinoamérica que está basada en una cultura del respeto a la diferencia individual y diversidad cultural». De esta forma se define el Colegio Fontán de Bogotá (Colombia), un centro educativo pionero cuyo impulsor fue Ventura Fontán, creador del Sistema Educativo Relacional. Tras una primera experiencia en Medellín, puso en marcha este centro educativo en la capital colombiana, en 1993. Cinco años más tarde, se unió con Microsoft para crear una plataforma tecnológica con un programa virtual (Qino) en el que el estudiante es el protagonista de su proceso educativo y sus educadores y tutores giran en torno a él y a su plan de estudios. El objetivo es que cada estudiante desarrolle su potencial y su autonomía. Cada alumno tiene un plan de estudio personalizado, en el que se tienen en cuenta sus características propias, sus gustos, capacidades, intereses y necesidades para la creación del camino que quiera recorrer.

Mediante la plataforma creada con Microsoft, los profesores disponen de una base de datos de los estudiantes con la que crean, revisan y actualizan los planes de estudio. Permite visualizar los temas que cada estudiante debe desarrollar, su nivel de cumplimiento de metas y los comentarios que realizan los profesores.

• Steve Jobs School

En el año 2013, se pusieron en marcha en Holanda las primeras escuelas Steve Jobs, dirigidas a niños de entre 2 y 12 años. Fueron fundadas por la organización O4NT (Education For A New Time) y está basada en la experiencia interactiva que proporcionan los ipad para desarrollar programas de aprendizaje individualizados que se diseñan entre alumnos, padres y profesores cada seis semanas.

Los horarios son flexibles y no cuentan con aulas tradicionales, sino espacios abiertos diseñados para que los estudiantes aprovechen sus horas de estudio según sus necesidades. El objetivo es que cada niño desarrolle sus habilidades en función de sus destrezas, sus gustos y sus capacidades, con el apoyo de un profesor al que se denomina «coach». El ritmo de aprendizaje lo impone cada alumno, aunque siempre controlado por los docentes y sus familias. Eso no quiere decir que no se realicen actividades en grupo. Los profesores ponen en marcha iniciativas en donde los niños trabajan en conjunto para resolver problemas o compartir información, bajo la premisa de que el diálogo y colaboración es fundamental para alcanzar las metas.

• Shireland Collegiate Academy

Esta escuela de secundaria situada en Smethwick, en el Reino Unido, ha desarrollado un método basado en las llamadas «clases invertidas», que consisten en que el alumno realice un trabajo de investigación, análisis y estudio antes de que el profesor explique la lección y mediante el uso de las nuevas tecnologías, de tal forma que cuando llegue a clase, se cree un debate con el profesor que permita que todos los alumnos se enriquezcan con las diferentes aportaciones. El profesor, por tanto, puede centrarse más en el análisis y no tanto en dictar contenidos. Según el propio centro, este sistema incrementa el compromiso de los alumnos, mejora su capacidad crítica y les introduce en el mundo de la investigación.

• Ritaharju School

Los antecedentes de esta escuela hay que buscarlos a principios de este siglo, cuando un grupo de familias jóvenes que se habían mudado a la localidad de Oulu (Finlandia) decidieron poner en marcha una guardería y una escuela —que en un principio se gestó como un centro comunitario— en el que los niños pudieran aprender sintiéndose a gusto en un ambiente acogedor y donde cada alumno siguiera su ritmo de aprendizaje. En el año 2007, la escuela entró a formar parte del Microsoft Partners in

Learning, un programa destinado a implementar las nuevas tecnologías en el aula de manera integradora.

Su metodología está basada por tanto en el aprendizaje personalizado, con programas realizados en estrecha colaboración con el profesorado. El edificio se construyó con espacios flexibles, que permitieran trabajar en grupos más o menos grandes adaptados a las necesidades del momento.

• Future Tech

Situada en Egipto, nació con vocación de ofrecer una enseñanza de calidad a los estudiantes de Egipto. Una educación basada en la tolerancia y el respeto que pudiera ser asequible y en el que las nuevas tecnologías jugaran un papel principal. Tras inscribirse en el Microsoft Partners in Learning, ha desarrollado un método que pone a disposición de los alumnos toda la tecnología y las herramientas digitales necesarias para desarrollar todo su potencial. Reconocido en todo el mundo, pone mucho énfasis en el cuidado y la protección del medio ambiente, así como en fomentar períodos de prácticas en las empresas y otros ámbitos, para que los alumnos se enfrenten al mundo real y sean capaces de desarrollar habilidades como la responsabilidad, la toma de decisiones, el esfuerzo y la creatividad.

• Green School

Abrió sus puertas en 2008 en Bali y está situado en una zona de gran belleza natural en la que se ha integrado perfectamente gracias a sus diseños de cabañas de bambú y otros espacios respetuosos con el medio ambiente. Esta escuela fue creada en 2008 por el millonario John Hardy, que decidió embarcarse en este proyecto después de ver el documental *Una verdad incómoda,* que realizó Al Gore, el que fuera vicepresidente de Estados Unidos, sobre el cambio climático y sus consecuencias. Hardy quedó impactado al ver estas imágenes y se dio cuenta de la importancia de la educación para concienciar a la sociedad de la necesidad de frenar la contaminación.

Además de las materias tradicionales, los alumnos adquieren conocimientos sobre el cuidado del medio ambiente y los animales, la agricultura urbana o la arquitectura ecológica. Su fundador quiere crear líderes globales que tengan una sensibilidad especial hacia las cuestiones medioambientales y que sean capaces de cambiar el mundo en el que vivimos.

• Blue School

Considerada como la «Escuela Laboratorio» de la ciudad de Nueva York, fue creada por los integrantes del Grupo Blue Man, Phil Stanton, Chris Wink y Matt Goldman, que representaba a un trío de mimos que aparecían en el escenario pintados con la cara azul y que ofrecían un espectáculo satírico muy creativo. Con una arquitectura singular, se conforma con espacios abiertos donde las creaciones de los alumnos y los profesores se reparten por cada rincón.

El fomento de la creatividad artística es básico en esta escuela, así como la incorporación de los últimos estudios de la neurociencia y su aplicación en el aprendizaje. Se basan en una educación basada en la innovación, donde la música y el arte tienen un espacio destacado. Los padres tienen un papel activo esencial y el profesorado sigue una formación específica para poder atender de forma individualizada al alumno y desarrollar los programas de estudios necesarios en cada caso.

• Innova School

La propuesta de Innova School —una red de escuelas creada en Perú— se basa en un modelo de aprendizaje socioconstructivista. Su metodología, Blended Learning, ha sido desarrollada con la Universidad de Berkeley, en California, y tiene un enfoque que permite que todos los estudiantes desarrollen la habilidad de construir su propio conocimiento. Potencian el aprendizaje, facilitan el trabajo colaborativo y autónomo, atienden los ritmos y estilos de aprendizaje de los estudiantes e integran la tecnología en el aula.

Tal y como ellos lo definen, su enfoque pedagógico engloba tres conceptos: autonomía, aprendizaje colaborativo y tecnología integrada. El objetivo es que el alumno pueda construir experiencias de aprendizaje complejas que le capaciten para el futuro. Los estudiantes aprenden en grupos de cuatro a seis niños con la ayuda de un profesor que les guía para cimentar su aprendizaje, enseñarles nuevos conocimientos y mejorar su comprensión.

TERCERA PARTE

Enseñándoles a pensar diferente en casa. Guía de ejercicios para niños

Como ha quedado reflejado en este libro, en los últimos años se ha producido un crecimiento espectacular de la enseñanza alternativa. Han surgido iniciativas que han puesto en marcha antiguas y nuevas metodologías innovadoras, fruto sin duda de los profundos cambios que se están produciendo en nuestra sociedad, que exigen también por su parte, transformaciones en la transmisión del saber hacia los más pequeños. Y en este proceso, los padres juegan un papel fundamental, pues el grado de implicación en la educación de los hijos es cada vez mayor.

Pero como los progenitores cada vez queremos tomar una mayor iniciativa en la educación de nuestros hijos, queremos ofreceros a una *Guía práctica de actividades* con propuestas de ejercicios para niños de entre 3 y 6 años que se desarrollan en centros educativos con metodologías alternativas. Los ejercicios se dividen en cuatro grupos:

1. Vida práctica.
2. Educación emocional y en valores.
3. El mundo en el que vivimos, su mundo (arte, geografía, naturaleza, sociedad...).
4. Ayuda para la Escuela.

En cada actividad, os recomendamos la edad del niño en la que es más adecuado realizarla, aunque siempre partiendo de la base de que cada niño es único y diferente, y por lo tanto su proceso de desarrollo y aprendizaje también lo es, por lo que la edad propuesta es solo una orientación. Además, señalamos a qué metodología pertenece con el objetivo de dar a conocer de forma más práctica las características de cada una de estas escuelas. Las explicaciones de cada actividad están orientadas a los padres, que luego deberán transmitirse a los niños de forma concisa y atractiva para despertar su interés. Aconsejamos buscar el momento adecuado según el estado de ánimo y disposición del niño y crear un ambiente adecuado y motivador.

En aquellas actividades que lo permitan, es recomendable dejar al niño realizarlas solo, sin corregirle. Solo se le mostrará al final del trabajo los fallos o pequeñas mejoras que podrían realizar la próxima vez. Muchas de las actividades pueden realizarlas repetidas veces, lo que afianzará su grado de perfección, su capacidad de autocorrección, de concentración, de superación y su autoestima personal. Otras actividades o experiencias son para realizarlas una sola vez dada su complejidad, pero para trabajarlas más de una vez cuando estén finalizadas.

Se incluye también un pequeño apartado para que los padres puedan apuntar las consideraciones que crean oportunas sobre el modo de realizar la actividad del niño, los logros conseguidos o las dificultades que se presenten.

¡Ya solo queda ponerse manos a la obra!

¿Qué objetivos educativos tienen que cumplir los niños de entre 3 y 6 años en casa?

Según el Ministerio de Educación y Ciencia en España, la educación infantil en nuestro país tiene que cumplir una serie de objetivos que están reflejados en la Orden ECI/3960/2007, de 19 de diciembre, por la que se establece el currículo en esta etapa.

Partimos de la base de que cada niño es único y diferente y tiene un desarrollo personal, por eso las características y objetivos que exponemos a continuación son generales.

Entre los 3 y los 6 años el niño experimenta una considerable evolución, tanto a nivel motor como a nivel social y cognitivo.

A lo largo de esta etapa el niño progresa en la coordinación y conocimiento de su propio cuerpo, aumenta su capacidad comunicativa y de sociabilización, y poco a poco va aprendiendo a manejarse en nuevas situaciones.

OBJETIVOS

• Conocer el cuerpo y el de los otros y sus posibilidades.

• Observar y explorar su entorno familiar y social.

• Adquirir progresivamente autonomía en sus actividades habituales.

• Desarrollar sus capacidades afectivas.

• Relacionarse con los demás y adquirir progresivamente pautas elementales de convivencia y relación social, así como ejercitarse en la resolución pacífica de conflictos.

• Desarrollar habilidades comunicativas en diferentes lenguajes y formas de expresión.

• Iniciarse en las habilidades lógico-matemáticas, en la lectoescritura y en el movimiento, el gesto y el ritmo.

POR ETAPAS

Para que resulte más fácil a los padres vamos a desgranar —por edades— algunos de los hitos que deben alcanzar los niños de forma esquemática. De esta forma, se puede realizar un seguimiento más preciso del desarrollo de los pequeños:

▨ De los 3 a los 4 años

DESARROLLO FÍSICO:

Motricidad gruesa

    — Correr eludiendo obstáculos.

    — Subir escaleras alternando los pies.

    — Comenzar a trepar.

    — Montar en triciclo.

    — Vestirse y desvestirse con ayuda.

— Construir una torre de bloques.
— Coger una pelota con las dos manos.
— Caminar de puntillas.

Motricidad fina
— Abrochar y desabrochar botones.
— Manipular plastilina.
— Pasar páginas.
— Sostener el lápiz y hacer dibujos y trazos sencillos.
— Comenzar a usar tijeras.
— Colorear respetando algunos márgenes.
— Seguir trazos sencillos con el lápiz o el punzón.

DESARROLLO SOCIAL:
— Suele finalizar la etapa del «no».
— Prestar atención a las demandas del adulto.
— Capacidad de desarrollar el juego simbólico e imitativo.
— Comenzar a jugar con otros niños.
— Interés por las actividades de grupo.
— Gran imaginación en el juego.
— Interés por conocer su propio cuerpo y por su imagen en el espejo.
— Disfrutar disfrazándose.

DESARROLLO COGNITIVO:
— Dibujar el tronco y extremidades en la figura humana.
— Realizar puzles de 3-4 piezas.
— Conocer los colores.
— Pensamiento egocéntrico.
— Confusión de la fantasía con la realidad.
— No es capaz de hacer correspondencia entre objetos.
— Distinguir objetos grandes y pequeños, pesados y livianos.
— Comprensión de los cuantificadores mediante objetos: muchos, pocos, todos, ninguno.
— Capacidad de seguir secuencias sencillas (tamaño o color).
— Contar hasta diez imitando al adulto sin correspondencia.

— Identificar y nombrar objetos que son iguales o diferentes.
— Identificar por lo menos tres figuras geométricas: círculo, cuadrado y triángulo.
— Separar objetos por categorías.
— Capacidad de representar en su pensamiento la acción que va a realizar.

DESARROLLO DEL LENGUAJE:
— Inventar cuentos siguiendo láminas en secuencia.
— Gusto por los cuentos.
— Toma de conciencia de sí mismo.
— Capacidad de hablar de sí mismo en primera persona.
— Capacidad de expresar hechos pasados.
— Interés por preguntar (la etapa del por qué).
— Construcción de frases más largas.
— Uso correcto de los verbos.
— Comprensión de órdenes y preguntas.
— Participación en conversaciones.
— Capacidad para contar las actividades que realiza.

▪ De los 4 a los 5 años

DESARROLLO FÍSICO:
Motricidad gruesa
— Caminar sobre una línea en equilibrio.
— Montar en bicicleta.
— Correr a la pata coja.
— Bajar escaleras alternando los pies.
— Correr en cualquier dirección.
— Caminar hacia atrás y de puntillas.
— Realizar volteretas.
— Saltar hacia adelante repetidamente.
— Botar una pelota.
— Lanzar con puntería.
— Vestirse y desvestirse sin apenas ayuda.

Motricidad fina

— Recortar una línea con tijeras.
— Copiar trazos y letras.
— Dibujar círculos, cuadrados y cruces.
— Dibujar figuras de personas.
— Coger el lápiz correctamente.
— Escribir algunas letras mayúsculas y trazar números.
— Pegar cosas sencillas.

DESARROLLO SOCIAL:

— Aparición de la figura del amigo.
— Posibilidad de que exista un amigo imaginario.
— Interés por el juego simbólico.
— Participación en conversaciones colectivas.
— Búsqueda de la aprobación del adulto en sus actuaciones.
— Respeto hacia las normas básicas de convivencia.
— Sociabilidad.
— Imitación al adulto.
— Descubrimiento de las diferencias entre sexos.

DESARROLLO COGNITIVO:

— Comienza la distinción entre lo real y lo imaginario.
— Capacidad de diferenciar el momento del día en relación con las actividades.
— Pensamiento intuitivo fuertemente ligado a lo que percibe directamente.
— Establecimiento de diferencias y semejanzas entre objetos.
— Repetición de rimas y canciones.
— Identificación de colores primarios y algunos secundarios.
— Dibujo de la figura humana más detallado.
— Capacidad de realizar conjuntos de uno a diez elementos si guiendo una muestra.
— Identificación de las partes que le faltan a un objeto o dibujo.
— Capacidad de hacer series de tres a cinco elementos.
— Manejo de las relaciones espaciales simples (arriba, abajo,

fuera, dentro, cerca, lejos…).

— Ordenación de secuencias con dibujos impresos para formar una historia con relación lógica.

— Capacidad de hacer rompecabezas de doce a veinticuatro piezas.

DESARROLLO DEL LENGUAJE:

— Mantenimiento de conversaciones fluidas.
— Uso de pronombres y adverbios.
— Explicación de vivencias y emociones.
— Capacidad de decir nombre, apellido y edad.
— Recuerdo de canciones y cuentos.
— Buena capacidad de expresión.
— Formación de oraciones con un alto contenido de detalles.
— Cuenta historias centradas en un tema.
— Capacidad de contestar preguntas simples sobre una historia.
— Gusto por las preguntas.

De los 5 a los 6 años

DESARROLLO FÍSICO:

Motricidad gruesa

— Trepar por escaleras.
— Capacidad de columpiarse autónomamente.
— Saltar escalones.
— Saltar a la pata coja.
— Patinar.
— Definición de la lateralidad (aunque este proceso se va complementando hasta los 6 años).

Motricidad fina

— Recortar figuras sin desviarse de la silueta.
— Trazar números y letras.
— Dibujar cuello y hombros en la figura humana que empieza a ser más proporcionada.

— Capacidad de completar un laberinto simple sin salirse.
— Colorear con precisión.

DESARROLLO SOCIAL:
— Consolidación de los logros que ha alcanzado en su cuidado personal.
— Participación en conversaciones colectivas.
— Aparición de una primera «pandilla» de amigos.
— Actitud muy receptiva ante el mundo que le rodea.
— Capacidad de terminar las tareas.
— Imitación espontánea de gestos y posturas.

DESARROLLO COGNITIVO:
— Capacidad de ordenar de menor a mayor e identificación de las posiciones primera y última.
— Capacidad de realizar rompecabezas de veinte o más piezas.
— Repetición con precisión de una secuencia de hechos.
— Clasificación por tres atributos.
— Capacidad de completar un laberinto simple.
— Al dibujar, la idea precede al dibujo.
— Interés por el origen y la utilidad de las cosas.
— Identificación de los números del 1 al 50 y reproducir, al menos, del 1 al 20.
— Mayor capacidad de atención. Puede permanecer cerca de cuarenta minutos realizando la misma actividad.

DESARROLLO DEL LENGUAJE:
— Ubicación temporal en el lenguaje.
— Conocimiento del día y el mes de su cumpleaños.
— Capacidad de hacer comentarios relacionados con un cuento o película.
— Recuerdo claro de los hechos que vive.
— Capacidad de seguir sin dificultad la trama de un cuento.
— Capacidad de responder a la pregunta «por qué» con explicaciones referidas a las características concretas de los objetos.

— Invención de historias fantásticas.
— Interés por las conversaciones colectivas.
— Capacidad de relatar cuentos y chistes sencillos.
— Definición de las palabras e interés por las que no comprende.
— Interés por los cuentos.
— Expresión a través del dibujo de circunstancias que no puede expresar de otro modo.

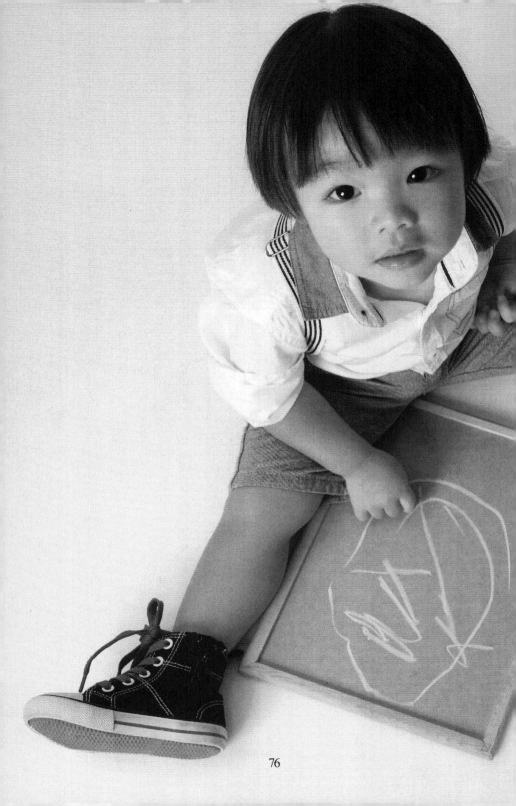

Ejercicios y actividades para casa:

VIDA PRÁCTICA

Las actividades de vida práctica son las bases de su futuro aprendizaje ya que favorecen la autonomía, la concentración, el desarrollo de sus habilidades potenciales y la coordinación motora entre otros aspectos. Se trata de actividades de la vida real que el niño ve realizar continuamente a los adultos a su alrededor. Es un juego simbólico preparado y guiado, en el que se ofrece al niño un ambiente adecuado, con materiales y objetos reales adaptados a su edad. Debemos enseñarles con nuestro ejemplo.

PLANTAMOS UNA PLANTA

Edad recomendada: 3-6 años.
Desarrollada en las Escuelas Montessori y Waldorf.

• **Objetivos:**

Tanto en la metodología Montessori como en los centros Waldorf se da mucha importancia a la naturaleza, el respeto hacia ella y su cuidado. Por lo tanto, con la actividad que os vamos a presentar, además de enseñar al niño a cuidar de una planta y de hacerle responsable de ella, fomentaremos en él su amor hacia la naturaleza.

• **Habilidades y competencias:**

Curiosidad, persistencia, autonomía, conciencia ambiental.

• **Material:**

Semillas, tierra, semilleros o macetas, cartulinas y palitos de helado, rotuladores y regadera o biberón para regar.

• **Desarrollo:**

Podemos iniciar la actividad viendo con el niño algún cuento en el que aparezcan plantas o flores, aunque solo sea una ilustración. La comentamos con él y le haremos apreciar la belleza de las plantas y su importancia. A continuación, le proponemos el plan de plantar juntos en casa. Le explicamos cómo hemos de hacerlo, por ejemplo, con un dibujo en un folio dividido en seis partes iguales. En el primer cuadrado dibujamos la tierra con unas semillas debajo; en el siguiente, lo mismo pero añadiendo unas gotitas de agua cayendo; en el siguiente, añadimos el sol en el cielo; en el cuarto cuadro dibujamos la tierra y una raíz que sale hacia abajo de las semillas. En el siguiente, lo mismo pero añadimos el agua y el sol y un pequeño brote que sale de la tierra y, en el último cuadro, añadimos una flor.

Una vez en el vivero (es importante que vayáis juntos), elegid las semillas que queráis plantar e informaros de las características y necesidades de la planta elegida.

Antes de empezar a plantar, elaborad los cartelitos que vais a poner en cada semillero o maceta. Escribir el nombre de la planta y por detrás cada cuánto hay que regarla. También podéis recortar una cartulina a modo de banderita con una brocheta o un lápiz. Por último, se planta cada semilla en un semillero o maceta y se pone su cartelito correspondiente. Buscamos un lugar adecuado en el que dé el sol en casa para colocar nuestras plantitas y las regamos. Ya solo nos queda establecer juntos los momentos para regarla y esperar.

• **Vuestras impresiones:**

EL RELOJ DE LA RUTINA

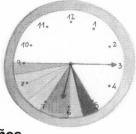

Edad recomendada: 3-6 años.
Desarrollada en las Escuelas Waldorf.

• **Objetivos:**
En la metodología Waldorf se da mucha importancia a los ritmos y a la necesidad de seguir una rutina bien estructurada. Cada momento del día implica una actividad, por lo que los niños entenderán que hay un momento específico para jugar, para comer, para bañarse, etc. Con este reloj, lo que se intenta es ayudar al niño a situarse en cada momento del día, por lo que ha de estar en un lugar de la casa bien visible para el niño y a una altura razonable a su estatura. Os ofrecemos la posibilidad de dos relojes en función de la edad del niño. También es importante que expliquéis al niño lo que vais a hacer, para qué sirve y cómo lo vais a llevar a cabo.

• **Habilidades y competencias:**
Autonomía, iniciativa.

RELOJ 1. EDAD: 3-4 AÑOS.

• **Material:**
Reloj, cartulinas de colores, tijeras, pegamento, folios.

• **Desarrollo:**
En primer lugar, hay que desmontar el reloj para poder pegar en la esfera, las cartulinas de cuatro colores diferentes que se van a corresponder a cuatro momentos diferentes del día: mañana, mediodía, tarde y noche. Asignáis a cada momento del día un color y recortáis las cartulinas de tal forma que entre los cuatro colores se cubra toda la esfera del reloj. A continuación, dibujamos con el niño o bien buscamos en internet e imprimimos escenas que definan bien las cosas que hace el niño en cada una de las secciones

del día. Es decir, por la mañana: me levanto, desayuno, me lavo los dientes, me visto, voy al cole. A mediodía: juego en el cole, trabajo en el cole, como en el cole... Por la tarde: meriendo, juego, hago deberes, me baño. Por la noche: ceno, me lavo los dientes, me acuesto. Cada familia puede elegir los dibujos que quiera, según las actividades que quiera destacar en la vida de sus hijos. Una vez recortados, los pegamos en la sección del color del reloj del momento del día al que corresponden y volvemos montar el reloj. Ahora toca colgarlo juntos y empezar a ponerlo en práctica.

RELOJ 2. EDAD: 5- 6 AÑOS O PARA NIÑOS QUE YA SEPAN LEER.

La idea es la misma, aunque en este caso es necesario que la esfera del reloj sea blanca para poder colorearla.

• **Material:**
Reloj de esfera blanca, rotuladores, cartulinas de colores.

• **Desarrollo:**
Una vez tenemos el reloj y el material necesario, explicamos al niño lo que vamos a hacer juntos, para qué y cómo. Desmontamos el reloj. Establecemos juntos los momentos del día y los vamos anotando. Por ejemplo: desayuno, prepararnos para ir al colegio, cole, merienda, deberes, tiempo de juego, baño, cena, dientes, cuento, cama… A continuación, elegimos una cartulina de un color para el primer momento del día, la recortamos en un rectángulo y con un rotulador negro, escribimos bien claro la actividad que corresponde, que en este caso sería desayuno. El color de la cartulina que hemos elegido será del mismo color de rotulador con el que colorearemos en la esfera del reloj para marcar este primer momento del día. Seguimos con la segunda tarjeta o rectángulo de cartulina. Por ejemplo, ahora elegimos el azul para este segundo momento del día que sería: «me preparo para ir al cole». Recortamos un rectángulo de cartulina azul, escribimos sobre ella en negro y, a continuación,

coloreamos de azul la segunda franja del reloj. Y así sucesivamente con todas las actividades que queremos destacar del día. Una vez finalizado colocamos el reloj de colores y debajo pegamos en orden las tarjetas de cartulinas de colores con el fin de que el niño siempre pueda relacionar cada color con su actividad correspondiente. Es importante que estén colocadas de arriba a abajo en orden.

• **Vuestras impresiones:**

LOS TRASVASES

Edad recomendada: 3-6 años. Desarrollada en las Escuelas Montessori.

• Objetivos:
Consiste en trasvasar objetos o sustancias de un recipiente a otro. Primero, de mayor tamaño y consistencia, de un recipiente a

otro, y poco a poco se van planteando nuevos retos de dificultad, aumentando la complejidad del ejercicio, pasando a sustancias más pequeñas o finas y llegando hasta los líquidos o cambiando los elementos de trasvase. Este tipo de ejercicios tienen como finalidad el desarrollo psicomotor, la mejora de la coordinación óculo-manual, la concentración y el equilibrio, entre otros aspectos. También prepara al niño para la escritura y actividades como vestirse, servir comida, comer...

- **Habilidades y competencias:**
  Posterior lectoescritura, autonomía, adaptabilidad.

- **Material:**
  Bandeja, dos cuencos, una cuchara grande de madera, nueces. Este material irá cambiando según vayan superando trasvases: cuchara, pinzas, cazo, cuencos, jarras, nueces, legumbres, arroz, harina, líquidos…

- **Desarrollo:**
  Comenzamos presentando la actividad al niño y le invitamos a que lleve él la bandeja preparada con los materiales necesarios a la mesa. De esta forma, comenzamos a implicarle en la actividad y, de paso, trabajamos el equilibrio. A continuación, realizamos nosotros el trasvase, siempre de izquierda a derecha (preparación para la lectura). Si tu hijo es zurdo coge el objeto de trasvase (cuchara) con la mano izquierda. Luego, invítale a que él lo haga y observe. Las primeras veces derramará las legumbres, pero no debemos corregirle. Cuando termine limpiamos juntos y le ofrecemos la posibilidad de volverlo a hacer. Esta actividad se puede repetir tantas veces como el niño desee.

  Posibles trasvases:
  - Nueces de un cuenco a otro con cuchara grande de madera.
  - Legumbres de un cuenco a otro con cuchara normal.
  - Arroz con un cazo.

- Piedrecitas con pinzas.
- Agua de una jarra a otra.
- Agua con jabón de un cuenco a otro cuenco con una esponja.
- Agua de una botella a otra con un embudo.
- Agua teñida con colorantes en varios cuencos a otros cuencos con cuentagotas o pipetas.
- Agua teñida con colorantes alimentarios en varios cuencos a hieleras con cuentagotas o pipetas.

- **Vuestras impresiones:**

APRENDEMOS A LIMPIAR Y A ELABORAR PASTA DE SAL

Edad recomendada: de 3 a 6 años.
Desarrollada en las Escuelas Montessori y Escuelas Libres.

• **Objetivos:**

Las actividades de limpieza pueden resultar muy atractivas para los niños y les resulta muy útil para prepararles para su vida adulta, así como para desarrollar su coordinación óculo-manual. El grado de dificultad irá aumentando según el niño vaya superando ejercicios de menor precisión. Podemos comenzar limpiando muñecos con un cuenco con agua y jabón, cristales con un espray y un trapo o limpiar sus zapatos. Una vez hayan superado estos pequeños retos, estarán preparados para la siguiente actividad que os proponemos: hacer pasta de sal para modelar. En esta actividad también intervienen los trasvases por lo que sería recomendable haberlos trabajado previamente con el niño.

• **Habilidades y competencias:**

Autonomía, persistencia.

• **Material:**

Dos vasos de harina, un vaso de sal, un vaso de agua, cuchara de madera, cuenco, colorante alimentario (opcional).

• **Desarrollo:**

Comenzamos presentando la actividad al niño, explicándole lo que vamos a hacer y enseñándole los materiales necesarios. Juntamos la sal con la harina en un cuenco, añadimos el agua y vamos mezclando con una cuchara de madera o con las manos. Si queremos que sea de colores, añadimos colorante alimentario, pero en este caso hay que usar guantes de látex para amasar con las manos. Ya tenemos nuestra pasta de sal lista para modelar. Ahora toca limpiar juntos los materiales utilizados. Una vez terminada nuestra limpieza, pasamos la pasta de sal a una bandeja y comenzamos a modelar. Si habéis decidido no teñir la pasta, podéis pintarla con témperas una vez terminadas las piezas que hayáis modelado y dejado secar. Por último, limpiamos la superficie de trabajo. Para secarlas, hay que dejarlas por lo menos un día en algún lugar sin humedad y si aun así no se han secado del todo, podéis meter las piezas en el horno a 100 grados hasta que estén duras (y antes de pintarlas con témpera). Si os sobra pasta, podéis envolverla en papel filme y guardarla en la nevera.

• **Vuestras impresiones**

ABRIR Y CERRAR CANDADOS

Edad recomendada: 3-4 años. Desarrollada en las Escuelas Montessori.

• **Objetivos:**

María Montessori daba una gran importancia a educar a los niños en la independencia. Este tipo de actividades que trabajan con la destreza y la concentración, ayudan al niño a ser cada vez más autónomo y fomentan su autoestima. Además, favorecen el desarrollo de la motricidad fina, lo cual les ayudará en la escritura, la coordinación óculo-manual y la concentración.

- **Habilidades y competencias:**
  Adaptabilidad, persistencia, iniciativa.

- **Material:**
  Una bandeja y 3 ó 4 candados de diferentes tamaños con sus llaves correspondientes.

- **Desarrollo:**
  La actividad consiste en abrir y cerrar candados correctamente. Se deben probar las llaves hasta encontrar la adecuada para cada candado y realizar el giro correcto para poder abrirlo y cerrarlo. Comenzamos presentando el material al niño: la bandeja con los diferentes candados y llaves. Colocamos en la parte superior de la bandeja los candados y en la parte inferior las llaves. Simplemente con ver los candados, seguramente el niño ya se sienta atraído simplemente por la curiosidad que despertará en él. Hacemos una demostración delante del niño y volvemos a colocar los candados y debajo las llaves, pero no de forma ordenada, es decir que cada candado no tenga justo debajo de él su llave correspondiente. Invitamos al niño a probar su destreza.

- **Vuestras impresiones:**

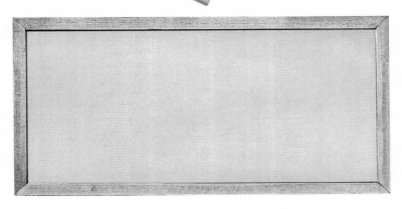

RECICLAMOS PAPEL

Edad recomendada: 5 años. Desarrollada en Las Escuelas Libres. Actividad realizada en Mayrit Escuela Activa (Madrid).

• **Objetivos:**

Esta actividad que os proponemos, además de trabajar la destreza manual, fomenta la conciencia del niño sobre el medio ambiente y sobre el valor de las cosas. Los niños a esta edad suelen tener una producción bastante considerable de hojas que desechan, por lo que de esta manera podemos sacar provecho de todos estos papeles «jubilados». Así aprenderá lo costoso que es «fabricar» cada hoja de papel y se concienciará de la importancia de reciclar para el medio ambiente. Comenzamos buscando juntos información sobre el papel: de dónde viene y cómo se fabrica. Una vez haya entendido que se necesitan muchos árboles para conseguir el papel, le presentamos la actividad ofreciéndole la posibilidad de reciclar nuestro propio papel y fabricar papel nuevo a partir del que hemos desechado. Buscamos todos esos papeles que ya no queremos y hacemos una pila con ellos. Preparamos el material necesario.

• **Habilidades y competencias:**

Conciencia medioambiental, responsabilidad, autonomía, curiosidad, colaboración.

• **Material:**

Papel desechado y cartón, bol, agua, rodillo de cocina, dos trozos de tela y papel de periódico.

• **Desarrollo:**

Comenzamos cortando el papel en trozos pequeños con las manos y los ponemos en un recipiente con un poco de agua. Lo dejamos reposar un poco hasta que se ablande para después amasarlo con las manos o con una batidora y formar una pasta. El siguiente paso consiste en coger porciones de la pasta y colocarlas entre dos trozos de tela y de papel de periódico con el fin de que absorban el agua sobrante. Pasamos el rodillo sobre los papeles de periódico y los quitamos junto a la tela. Si vemos que han quedado huecos, añadimos pequeñas porciones de pasta sobre ellas y volvemos a pasar el rodillo, con la tela y el periódico. A continuación, cogemos con cuidado la capa obtenida y la colocamos sobre un papel seco de periódico al sol. Pasadas unas horas expuesto al sol, podremos utilizar nuestro nuevo papel reciclado. Con el resultado obtenido, los alumnos de la Escuela Mayrit realizaron un herbario con hojas y flores recogidas en un paseo por la naturaleza.

• **Vuestras impresiones:**

LA CASA Y LA TIENDA

Edad recomendada: 4-5 años.
Desarrollada en las Escuelas Amara Berri.

• Objetivos:

En las Escuelas Amara Berri se da mucha importancia a la estructura organizativa, creando dentro del aula «ambientes» o «contextos sociales» que favorezcan el aprendizaje y permitan al niño expresar su mundo afectivo por medio del juego simbólico, de imitación del mundo adulto y de los roles. Además, potencian las relaciones sociales entre sus iguales, ya que es un espacio que facilita y estimula la continua relación con sus compañeros y les ayuda a avanzar en su proceso de socialización.

• **Habilidades y competencias:**
Colaboración, autonomía, conciencia social y cultural, adaptabilidad, comunicación.

• **Material para la casa:**
Pequeños muebles de juguete o madera, decoración para la casa y artículos de juguete necesarios para cada zona, como pueden ser platos, cubiertos, toalla, sábanas, escoba, cazuela, etc.

• **Desarrollo de la casa:**
Definimos la zona de la casa en las que los niños establecerán los diferentes espacios: la cocina, el comedor, el dormitorio... todo bien amueblado y provisto de gran número de materiales y utensilios semejantes a los que tienen en sus casas. Los niños se desplazan y juegan en la casa libremente, realizando la actividad que más les apetezca y asumiendo los roles con los que más se identifican. Cuando la sesión acaba, han de recoger todos los materiales debidamente clasificados y en el lugar que corresponde. De esta manera aprenden hábitos de orden, respeto y responsabilidad.

• **Material para la tienda:**
Productos para «vender»: pueden ser juguetes, dibujos que representen por ejemplo artículos de supermercado, comida o fruta de juguete o madera, monedas y billetes de juguete o papel (que pueden elaborar ellos mismos), cajas para ordenar los productos, cajas para clasificar y guardar el dinero, papel, lápices, tijeras.

- **Desarrollo:** Se deben diferenciar dos espacios, el mostrador y la caja. En el primero, clasifican los productos en cajitas expositoras, cuentan los productos y los clasifican recogiendo el resultado en una hoja de control de productos. Atienden a los «clientes», dándoles los productos que vienen a comprar. En la caja, los niños cuentan el dinero y escriben el resultado en una hoja de control. Además, tienen que cobrar y controlar la devolución del dinero.

- **Vuestras impresiones:**

Ejercicios y actividades para casa:

EDUCACIÓN EMOCIONAL Y EN VALORES

Su objetivo es inculcar los valores adecuados a nuestros hijos y ayudarles a crecer felices, guiándoles en sus emociones. Con las actividades que en este apartado os proponemos que os acerquéis al complejo mundo de las emociones de un niño a esta edad, así como ofreceros pequeñas ideas para ayudarles a entender y canalizar las emociones que en ocasiones les desbordan. Es muy importante que ellos mismos sean capaces de reconocer sus propias emociones, ponerles nombre y saber controlarlas y gestionarlas. Guiándoles en este aprendizaje, les ayudaremos a afrontar su día a día de una forma eficiente.

BUZÓN DE SUGERENCIAS Y CONFLICTOS

Edad recomendada 5-6 años. Desarrollada en las Escuelas Libres. Actividad realizada en la Mayrit Escuela Activa (Madrid).

• **Objetivos:**

El objetivo de esta actividad no es otro que ofrecer a los niños la posibilidad de expresarse, de contar sus inquietudes sus problemas, alegrías... en resumen, de expresar cualquier sentimiento o estado de ánimo a través de este buzón.

• **Habilidades y competencias:**

Comunicación, desarrollo de la empatía, autoconocimiento, colaboración.

• **Material:**

Un buzón. Puede ser un buzón comprado o realizado por vosotros mismos con ayuda de los niños, con una caja de cartón o madera decorada en la que haréis una pequeña apertura para meter las sugerencias.

• **Desarrollo:**

En primer lugar, es importante explicarles a los niños para qué sirve el buzón, se lo mostramos o lo fabricamos con ellos y les explicamos cómo lo vamos a utilizar. En el caso de la Escuela Mayrit, esta actividad surgió de una sugerencia de un niño, y el buzón lo realizó un padre que se ofreció voluntario. Los niños pueden escribir en un papel o una carta con destinatario los pensamientos, sugerencias o impresiones que ellos quieran, de forma anónima o no. Les podemos dar algunas ideas: ¿te has sentido decepcionado con un amigo?, ¿estás enfadado o triste con la profe?, ¿no te ha gustado o te ha gustado mucho la actitud de un compañero?, ¿estás ilusionado con un proyecto?, ¿te has peleado con un amigo y no habéis sabido solucionarlo?, ¿o sí?, ¿estás contento por ello?... Es importante recalcarles que estas sugerencias siempre van a ser atendidas ya que deberéis establecer una rutina y un horario concreto para sentaros juntos, abrir el buzón y leer las notitas, comentarlas y buscar soluciones satisfactorias para todos. De esta forma, se ofrece la posibilidad de expresarse a aquellos niños que les cuesta más hablar de sí mismos o simplemente son más tímidos y les resulta más difícil hablar en público. Para los niños que no sean tímidos o les cueste menos expresar sus sentimientos, les resultará beneficiosa para reconocer sus sentimientos. Así podremos ayudarles a canalizarlos y a ponerles el nombre correcto y ellos aprenderán a reflexionar sobre lo que sienten. También les facilitamos herramientas y pautas prácticas para la resolución de conflictos.

- **Vuestras impresiones:**

EL FRASCO DE LA CALMA

**Edad recomendada:
3- 6 años.
Desarrollada
en el Colegio
Montessori
School British Education
de La Florida (Madrid).**

• **Objetivos:**

El frasco de la calma tiene como objetivo ayudar al niño a controlar sus enfados y rabietas e incitarle a la calma, ofreciéndole una herramienta atractiva para ello.

• **Habilidades y competencias:**

Gestión emocional, autocontrol, adaptabilidad, solución de problemas.

• **Material:**

Bote o tarro de cristal, purpurina y agua.

• **Desarrollo:**

Consiste en la utilización de un bote al que se añaden tres cuartas partes de agua con purpurina. Al agitarlo y darle la vuelta se produce el efecto óptico de la purpurina moviéndose por el agua, captando la atención del niño. En primer lugar, le presentamos al niño la actividad y los materiales y le contamos que vamos a fabricar un bote mágico que nos ayudará a espantar los enfados. Fabricamos juntos el frasco y observamos el resultado. Le explicamos que cuando se enfade, podrá recurrir a él para mirarlo un ratito e intentar calmarse, ya que es mágico, y si lo agitamos, se lleva los enfados. Si el niño es pequeño, seréis los padres los que deberéis poner el frasco a la altura de los ojos del niño en un momento de rabieta u enfado. Es importante no dejar solo al niño con el frasco si este es de cristal. También se puede utilizar para ayudar al niño a expresar sus sentimientos. Para esto, buscamos el momento óptimo –por ejemplo, después del cuento de antes de dormir–. Dedicamos unos minutos a observar el frasco juntos y le incitamos a contarnos qué es lo que más le ha gustado y disgustado del día y porqué, o cómo se ha sentido ante una situación concreta.

• **Vuestras impresiones:**

LA MESA DE LA PAZ

Edad recomendada: 3-6 años.
Desarrollada en las Escuelas Montessori.

• **Objetivos:**

La mesa de la paz tiene como objetivo la resolución de conflictos, ya sean individuales (el niño se siente triste, nervioso...), o colectivos (peleas entre hermanos, amigos, enfados con papá y mamá...) ofreciéndole un recurso alternativo al castigo o al rincón de pensar. Implicamos al niño de forma activa en la resolución de sus propios conflictos, ayudándole a ser más consciente de los errores y más responsable de las consecuencias de sus acciones, y mostrándole una herramienta para expresar sus sentimientos.

• **Habilidades y competencias:**

Solución de problemas, adaptabilidad, inteligencia emocional, mejora de la autoestima, liderazgo.

• **Material:**

Una mesita pequeña, un cesto donde guardar los objetos que vamos a poner en la mesa de la paz (opcional), un reloj de arena, una campanita, algún cuento sobre emociones, un objeto especial (por ejemplo, un peluche o una figurita).

• **Desarrollo:**

En primer lugar, presentamos la actividad al niño y le explicamos para qué sirve una mesa de la paz. Les explicamos que podrán utilizarla de forma individual o con otras personas, y que cuando nos sintamos tristes, enfadados o nerviosos podremos sentarnos e ir cogiendo los objetos de la mesa: cogemos nuestro objeto especial, observamos la arena del reloj caer, leemos el cuento, pensamos, y tocamos la campana cuando pensemos que ya estamos mejor. Cuando un niño está sentado en la mesa de la paz, los demás han de respetarle y no molestarle. Continuamos explicándole directamente a los niños cómo pueden utilizarla: cuando estén enfadados con otra persona se pueden sentar y comenzar a hablar por turnos según el tiempo que marca el reloj de arena. Mientras habla uno, tiene el objeto especial en sus manos y cuando acaba su turno, se lo pasa al otro. En ese tiempo, se intenta explicar por qué se ha producido el enfado, las emociones y las posibilidades de resolver el conflicto. Pueden tocar la campana para celebrar el acuerdo o pedir una ayuda si no se consigue. Es importante establecer con ellos unas normas: no se puede gritar, pegar o insultar. Vamos a empezar las frases con «yo me sentido mal, cuando tu...», en lugar de con «tú has...». Una vez presentada la actividad, buscaremos juntos el material necesario, y preparamos juntos nuestra mesa de la paz dando mucha importancia a cada objeto que incluimos. Invitamos al niño a probarlo de forma individual o colectiva, imaginándonos un conflicto para ver cómo funciona.

• Vuestras impresiones:

EL BOTIQUÍN DE LAS EMOCIONES

Edad recomendada: 3-6 años.
Desarrollado en las Escuelas Libres.

• **Objetivos:**

Con el botiquín de las emociones se intenta ayudar al niño a calmar sus miedos, sus enfados o frustraciones y, en definitiva, cualquier sentimiento que le haga sentir mal. Esta actividad la podemos realizar desde el principio involucrando al niño y contándole que se va a crear un «botiquín muy especial que nos va a ayudar a ser más felices».

• **Habilidades y competencias:**

Mejora de la autoestima, gestión emocional, comunicación.

• Material:

Una caja que podéis decorar juntos, tiritas infantiles, venda, toallas compactas, un peluche pequeño, accesorios médicos de juguete, termómetro, fonendo, algún objeto gracioso (por ejemplo, un saquito de la risa o muñeco que se ría o haga algo gracioso, una marioneta...) y un bote de espray.

• Desarrollo:

En primer lugar, preparáis juntos la caja agregando todo lo necesario para el botiquín. Cada cosa que metáis, deberéis explicarle lo que es y para qué sirve. Por ejemplo, las tiritas infantiles sirven para pegar los besos que nos dé papá o mamá y sujetarlos bien fuerte. La venda nos servirá para sujetar un abrazo y que nos dure mucho rato. Las toallas son mágicas y cuando las mojamos se hacen grandes y nos ayudarán a secar las lágrimas. El muñeco es tan suave y amoroso que si lo abrazamos un ratito nos va a ayudar a sentirnos mejor. Los accesorios médicos de juguete, como el termómetro, el fonendo o unos guantes de látex, nos van a servir para saber cómo de grande es la pena que sentimos y así poder curarla. Con el objeto gracioso, nos vamos a reír un poquito y la risa espanta las penas, los enfados, la tristeza, el dolor. Y el espray con agua y un poquito de colonia nos va a ayudar a terminar de echar cualquier tristeza que se resista a irse Ya lo tenemos todo listo, así que buscáis juntos un lugar especial para guardarlo y ya solo queda esperar a poder probarlo.

• Vuestras impresiones:

PONEMOS CARAS

Edad recomendada: 4 años.
Desarrollada en las Escuelas Libres.

• Objetivos:
Ayudar al niño a reconocer los diferentes estados de ánimo y las expresiones que conllevan, y cómo pueden transformar nuestro rostro y gestos. Permite que identifiquen sus sentimientos y también los de las personas de su entorno.

• Habilidades y competencias:
Conciencia social, empatía, comunicación, colaboración, adaptabilidad.

• Material:
Cartulinas, rotuladores, folios, pegamento, tijeras, forro del que se utiliza para forrar libros y una caja o cesta.

• Desarrollo:
Primero, le contamos al niño que vamos a jugar a poner caras. Sentados cara a cara, el adulto va nombrando estados de ánimo –aumentando el grado de complejidad– y el niño y el adulto deben interpretarlo e identificarlo. Por ejemplo, «ahora estamos muy contentos, ahora enfadados, tristes, tenemos miedo...». La segunda parte de la actividad consiste en elaborar de forma conjunta unas sencillas tarjetas de emociones. Podemos buscar caras que expresen diferentes estados de ánimo en una revista y recortarlas, e imprimirlas o directamente dibujarlas. Deben ser imágenes solo de caras, para no distraer la atención del niño con cosas que no son relevantes. Las recortamos y plastificamos para poder volver a utilizarlas. A continuación, las metemos en una caja, bolsa o cesto y le presentamos al niño el material finalizado. Le explicamos cómo vamos a utilizarlas: por turnos, metemos la mano y sacamos una tarjeta. La observamos, identificamos y hablamos de alguna expe-

riencia que hayamos tenido con esa emoción. Por ejemplo, si saca una tarjeta que exprese el miedo, le preguntamos: «¿qué le pasa a esa carita?, ¿cómo se siente?»; así identificamos la emoción. A continuación, le sugerimos que nos cuente algo que le produzca ese sentimiento: «yo siento miedo cuando...». Y nos ponemos a hablar de ese sentimiento, contando las dos experiencias que hayamos tenido o visto en una película o en un cuento.

• **Vuestras impresiones:**

¿CÓMO LO SOLUCIONAMOS?

Edad recomendada: 3 a 6 años.
Desarrollada en las Escuelas Libres.

• **Objetivos:**

Esta actividad guía al niño en la resolución de problemas y conflictos de una forma eficaz, de tal forma que le ayudamos a reconocerlos y ponerles nombre y le damos diferentes recursos para solucionarlo. Se trabaja para evitar su frustración y se fomenta su autonomía.

- **Habilidades y competencias:**
  Solución de conflictos, comunicación, colaboración, adaptabilidad, liderazgo.

- **Material:**
  Folios, lápices y rotuladores.

- **Desarrollo:**
  En primer lugar, buscamos un momento de tranquilidad y un espacio sin distracciones. Le explicamos al niño que le vamos a contar una historia, que tendremos previamente pensada y que podemos extraer de cuentos sobre educación emocional y resolución de conflictos. Una vez contada, paramos antes de llegar al desenlace. Es decir, solo presentamos el problema planteado en la historia, sin llegar a ofrecer la solución al conflicto. Entonces, le preguntamos: ¿tú qué crees que deberías hacer?, ¿cómo lo harías?, ¿cómo resolverías este problema? Dejamos hablar al niño y finalmente le vamos guiando en sus decisiones, dándole sugerencias y respetando su propuesta. Es el niño, con nuestra ayuda, el que tiene que llegar a la última conclusión de como resolvería él el problema. Por último, le hacemos ver lo orgullosos que nos sentimos de que se sienta así y les recalcamos la importancia de buscar siempre la manera de solucionar los problemas. Esta actividad se puede repetir en diferentes ocasiones, con otras historias que hablen de diferentes tipos de conflicto.

- **Vuestras impresiones:**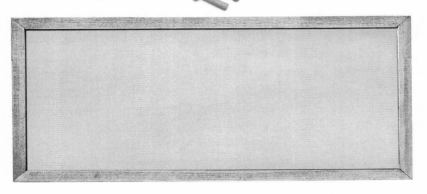

UN MONSTRUO LLAMADO ENFADO

Edad recomendada: 3-6 años.
Desarrollada en las Escuelas Libres.

• Objetivos:

Esta actividad es muy fácil y muy recurrente. No vais a necesitar ningún material especial. Consiste simplemente en ayudar al niño a salir de su enfado o rabieta. En muchas ocasiones, los niños se enfadan o disgustan por una situación o experiencia determinada. Cuando comienza el enfado tienen muy claros sus motivos, pero hay veces que entran en bucle y finalmente olvidan por qué lo han hecho. En estos casos suele ser de bastante ayuda poner en práctica esta actividad.

• Habilidades y competencias:

Solución de problemas, comunicación, gestión de las emociones, liderazgo.

• Material:

Folios y colores.

• Desarrollo:

Ante los primeros momentos del enfado, le dejamos tranquilo para que se desahogue. Pasado este primer rato, nos acercamos poco a poco, nos ponemos a su altura y le hablamos con voz tranquila y suave: «Estás muy enfadado, ¿verdad?, ¿mucho?, ¿mucho, mucho?, pues no consigo imaginarme cómo es tu enfado de grande, ¿me lo podías dibujar?». Le ofrecemos unas hojas de papel y unos colores y le invitamos hacerlo. Es bastante probable que acepte y empiece a hacer garabatos con más o menos ira. Le dejamos hacer y observamos, proporcionándole el material necesario. Cuando haya terminado, lo comentamos con él y le proponemos romper el dibujo en pedacitos, arrugarlo y tirarlo a la basura, para que se vaya ese enfado tan feo. Seguramente, terminando la actividad al niño se le habrá pasado el enfado, ya que habrá podido sacar su rabia de dentro a través del dibujo y simbólicamente la habrá destruido. Con esto, además le hacemos centrar su atención en algo más productivo que llorar y patalear y le enseñamos a canalizar sus rabietas. Una vez calmado podemos hablar con él de eso que tanto le ha hecho enfadar y buscar una solución para la próxima vez que ocurra.

• **Vuestras impresiones:**

**Ejercicios
y actividades
para casa:**

EL MUNDO EN EL QUE VIVIMOS, SU MUNDO

En este apartado, proponemos actividades relacionadas con todo aquello que rodea al niño en el ámbito de la ciencia, la naturaleza, la sociedad, la geografía o la cultura con el fin de ayudar al niño a entender algunos de los misterios que conforman el mundo. Trabajaremos de forma práctica y divertida, para que se sientan parte de su sociedad y de aquello que les rodea.

UNAS PIÑAS MUY LISTAS

Edad recomendada: 5-6 años.
Desarrollada en las Escuelas Libres.

• **Objetivos:**

Fomentar el amor y el respeto por la naturaleza es una parte muy importante en la educación. Con esta actividad se pretende desarrollar la curiosidad del niño por su entorno medioambiental, su belleza, sus cambios y las posibilidades que nos ofrece.

• **Habilidades y competencias:**

Conciencia medioambiental, curiosidad, adaptabilidad, iniciativa.

• **Material:**

Reservad esta actividad para un día que tengáis pensado dar un paseo por el campo, ya que el único material que vais a necesitar son cuatro piñas y agua.

• **Desarrollo:**

Una vez estéis preparados para salir, le explicáis al niño que tenéis una misión importante: recoger piñas Las piñas son muy sabias y si las observamos nos van a decir si va a llover o no, por ejemplo, pues son expertas meteorólogas Necesitamos por lo menos cuatro piñas. De vuelta del paseo, las cogemos y las dividimos en dos grupos. Les hacemos una foto: primero una foto todas juntas y después a los dos grupos por separado. Cogemos uno de los grupos y lo metemos debajo del grifo asegurándonos que se han mojado bien por todas partes. Las dejamos reposar unos treinta minutos aproximadamente y, pasado este tiempo, volvemos para observar qué ha pasado. Comparamos las piñas que hemos mojado con la foto que habéis hecho anteriormente: ¿Qué ha pasado? Antes estaban abiertas y ahora están cerradas. En cambio, las que no hemos mojado están igual. Podemos probar a ponerlas al sol y veremos cómo se vuelven a abrir. Y es que las piñas saben decirnos si va a llover o no: si están abiertas, no lloverá. Si están cerradas, probablemente llueva. Y esto pasa porque las piñas son muy listas: su misión es guardar las semillas de los pinos y soltarlas para que crezcan nuevos pinos. Ellas saben que cuando llueve, no es buen momento para soltar sus semillas porque no se dispersarán bien y por eso se cierran, para protegerlas y que no puedan salir. En cambio, cuando no llueve es buen momento para soltarlas y que puedan dispersarse con el viento para encontrar un suelo no mojado para poder crecer. Entonces, se abren y dejan salir sus semillas.

• **Vuestras impresiones:**

MESA DE ESTACIÓN

Edad recomendada: 3-6 años.
Desarrollada en las Escuelas Waldorf.

• Objetivos:
Acercar al niño a la naturaleza, su belleza, sus cambios e importancia. En la metodología Waldorf se da mucha importancia a que los niños sepan interpretar los signos de la naturaleza, sus ciclos y su ritmo anual.

• Habilidades y competencias:
Autonomía, curiosidad, persistencia, conciencia medioambiental, conocimiento científico.

• Material:
Una mesita pequeña y un espacio en casa que dedicareis a esto. Y todo lo que queráis añadir en ella.

• Desarrollo:
Se trata de una mesa en la que iremos colocando elementos propios de cada estación del año: hojas, piñas, flores, frutas, dibujos, cuentos, huevos de pascua… En primer lugar, le contamos al niño lo que vamos a hacer y buscamos juntos un espacio en casa que destinaremos a ello. A continuación, podemos comenzar haciendo un dibujo que represente la estación en la que estamos y lo colocamos como primer elemento de nuestra mesa de estación. Podemos poner un pequeño mantel que simbolice dicha estación, por ejemplo, uno marrón para el otoño. En Waldorf tienen un color adjudicado específico para cada estación: púrpuras y azules para el invierno, verdes para la primavera, amarillos y naranjas para el verano y rojos y marrones para el otoño. Vamos añadiendo elementos a nuestra mesa de estación. Os damos algunos ejemplos de manualidades que podéis realizar: coger hojas de árboles, dibujar su silueta, colorearla y recortarla. Hacer una corona de cartulina y

adornarla de hojas secas o flores pegadas. Decorar un marco de fotos con conchas de la playa, hojas o frutos secos y poner una foto de familia. Dibujar un paisaje con lluvia utilizando bastoncillos de los oídos para dibujar las gotas de agua con tempera. Hacer un collar de flores de cartulina de diferentes colores, insertándolas en un hilo grueso o lana con una aguja gorda. Realizar flores con corchos de vino y temperas (estampaciones).

• **Vuestras impresiones:**

NIÑOS DEL MUNDO

Edad recomendada: 3-6 años.
Desarrollada en Escuelas Montessori.

• Objetivos:

Con esta actividad se consiguen varios objetivos. En primer lugar, acercar al niño a la diversidad cultural y racial que hay en el mundo, por lo que se convierte en una herramienta perfecta para hablar sobre igualdad y convivencia. Además, mejora sus conocimientos de Geografía.

• Habilidades y competencias:
Conocimiento geográfico, conciencia social y cultural.

• Material:
Tijeras, pegamento, lápices de colores, una plancha de cartón tamaño A2, forro para plastificar e impresora.

• Desarrollo:
Comenzamos explicando al niño lo que es un mapamundi e imprimimos uno con él. Podemos hacerlo en cuatro folios que pegaremos unidos sobre la plancha de cartón. Una vez preparado, se colorea cada continente de un color diferente. En el método Montessori, tienen asignado un color específico: África en verde, Australia en marrón, Europa en rojo, América del Sur en rosa, América del Norte en naranja, Asia en amarillo y Antártida en blanco. A continuación, plastificamos el mapa y buscamos en Internet fotos de niños de las diferentes razas del mundo. Se imprimen y se recortan procurando que tengan el mismo tamaño. El juego consiste en colocar las fotos de los niños en cada área geográfica correspondiente, ofreciéndole información de cada continente y acercando su cultura y su forma de vida. Si sabe leer, se pueden también imprimir tarjetas con nombres de países para que aprenda a situarlas en su lugar.

• Vuestras impresiones:

EL ÁRBOL DE LAS ESTACIONES

Edad recomendada: 3- 6 años.
Desarrollada en las Escuelas Libres y Montessori.

• **Objetivos:**
Es importante para el buen desarrollo del niño que comprenda que el tiempo pasa de una forma lineal y que se suceden las estaciones a lo largo del año de una forma cíclica, con los cambios que conllevan y las diferencias que se establecen entre unas y otras. De esta forma, le ayudaremos a conectar con la naturaleza y su ciclo vital y le enseñaremos a disfrutar de cada etapa.

• **Habilidades y competencias:**
Creatividad, conocimiento científico, curiosidad.

• **Material:**
Cartulinas de colores, tijeras, rotuladores, lápices, *blu-tack*, pegatinas, algodón y purpurina.

• **Desarrollo:** Primero, buscamos en casa una zona en una pared o puerta en la que se pueda poner el árbol. Le contamos al niño lo que vamos a hacer: un árbol precioso dentro de nuestra casa. Dibujamos juntos un tronco y unas ramas del tamaño que ocupen el espacio que hemos escogido. Lo recortamos y lo pegamos con *blu-tack*. Juntos podéis buscar fotos o dibujos de hojas de árbol de la estación que corresponda, imprimirlas, recortarlas y pegarlas en las ramas. O también podéis dibujarlas. Y así, con todos los elementos propios de la estación que se os ocurran para decorar el árbol: insectos, copos de nieve, setas, gotas de lluvia, sol, nubes, arco iris, un búho, una ardilla, frutas, un muñeco de nieve, un sol nublado, ráfagas de viento... Los creamos con todos los materiales que quiera el niño: témperas, algodón, purpurina o pegatinas y se añaden al árbol en función de la estación. El tronco y las ramas permanecen fijos siempre y se cambian los complementos. También es aconsejable buscar una canción o poesía de la estación trabajada y recitarla mientras decoramos y observamos nuestro árbol. De esta forma, no se olvidará de cómo se llama cada estación y de cuáles son las características de cada una de ellas.

• **Vuestras impresiones:**

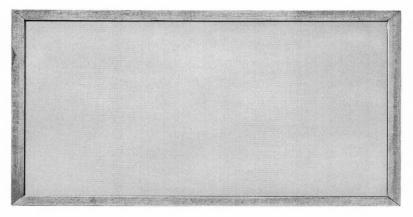

¿DÓNDE VIVO?

Edad recomendada: 4-5 años. Desarrollada en las Escuelas Montessori.

• **Objetivos:**

En muchas ocasiones, los niños no tienen muy claro dónde viven: ¿en una calle? ¿en una ciudad, en un país o en el mundo? Se trata de un concepto espacial que, generalmente, les cuesta asimilar. Con esta actividad les ayudaremos a saber a dónde pertenecen, a saber cuál es su lugar en el mundo.

• **Habilidades y competencias:**

Conciencia social y cultural, curiosidad.

• **Material:**

Doce cajas encajables lisas y sin dibujos, folios, tijeras, pegamento e impresora.

• **Desarrollo:**

Disponemos las cajitas en un espacio y les ponemos un cartelito pegado con una foto y su nombre: 1. El Universo. 2. La Vía Láctea. 3. El sistema solar. 4. La Tierra. 5. Mi continente. 6. Mi país. 7. Mi comunidad autónoma o región. 8. Mi provincia. 9. Mi ciudad. 10. Mi calle. 11. Mi casa. 12. Yo. Lo hacemos junto al niño y le explicamos que vamos a hacer un juego muy divertido del mundo y le motivamos para que colabore en su elaboración. Hacemos las etiquetas, buscamos fotos de la vía láctea, el sistema solar, la tierra, vuestro país... y, por último, una foto del niño. Vamos pegando las fotos en las cajas por orden. Empezamos con la más grande, con la foto del universo, hasta llegar a la más pequeña con la foto del niño. Le pegamos a cada caja el cartel con su nombre. Probamos juntos nuestro juego y vamos montando una torre con las cajas en orden empezando por la más grande. Le contamos que dentro del Universo está la Vía Láctea, y dentro el sistema solar, así sucesivamente. Para finalizar metemos las cajitas por orden dentro de la que le corresponde y se lo dejamos hacer a él solo.

• **Vuestras impresiones:**

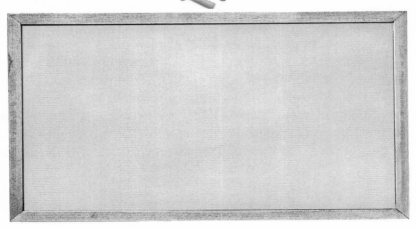

CELEBRACIÓN DEL EQUINOCCIO DE PRIMAVERA

Edad recomendada: 3-6 años.
Desarrollada en las Escuelas Libres.

• Objetivos:

La pretensión es acercar al niño a la naturaleza, a sus cambios, colores y belleza. Es una manera de involucrarles de una forma activa en el ritmo del año y hacerles conscientes de él mediante una guía que les ayude a entender las características de cada estación y cómo influye este ciclo en nuestras vidas.

• Habilidades y competencias:

Conocimiento científico, colaboración, creatividad, comunicación, liderazgo.

• Material:

Flores, semillas, maceta, tierra, cartulinas de colores, témperas, lazos de colores, lupa, cuento de las estaciones, folios, tijeras y pegamento.

• Desarrollo:

Esta actividad se puede realizar en cualquier cambio estación. Aquí os vamos a contar la celebración del equinoccio de primavera, pero se puede trasladar al invierno, verano u otoño. Los días previos al comienzo de la primavera comenzamos a preparar la actividad: en primer lugar, le hablamos al niño de lo que vamos a hacer: vamos a preparar una fiesta para celebrar que comienza la primavera. Podemos pedirle que nos cuente qué sabe de la primavera y le podemos leer un cuento sobre las estaciones y sus cambios. Después le sugerimos hacer un dibujo o mural que nos servirá para decorar nuestra fiesta. Os proponemos algunas actividades que se pueden ir realizando previamente:

• Plantamos unas semillas para observar cómo va crecer nuestra flor.

• Salimos a la naturaleza con una lupa para observar. Podemos coger flores para prensarlas en casa y más elementos de la naturaleza como palos u hojas y hacer un cuadro.

• Preparamos una mesa de estación.

• Escuchamos la pieza musical «Primavera» de Vivaldi y le ayudamos a apreciar lo que va expresando la música: la lluvia, el sol, la alegría. Incluso podemos hacer una pequeña representación del proceso de crecimiento de una semilla escuchando la música: primero somos una semilla (nos hacemos una bolita en el suelo), poco a poco, vamos estirando el tronco, muy despacito, luego los brazos (que son las ramas), a continuación, la cabeza, y por último estiramos bien los dedos de las manos que representan las hojas y la cabeza, la flor, el tronco y el tallo. Una vez ha crecido la flor, lo celebramos bailando.

• Podemos hacer guirnaldas de flores con cartulinas de colores.

• Con las flores recogidas en nuestro paseo por la naturaleza, hacemos coronas de flores.

El día de la fiesta preparamos una merienda especial, invitamos a algún amigo, decoramos el espacio en el que se va a celebrar con flores lazos, manualidades realizadas o la mesa de estación. Elegimos ropa de colores vivos y nos ponemos las coronas de flores.

A continuación, celebramos un pequeño ritual para dar la bienvenida a la primavera: se realiza un semicírculo en el suelo con todas las cosas que se han preparado y nos sentamos alrededor para incitar al niño a hablar de todo el proceso realizado. Para finalizar, se cantan canciones, se recitan poesías sobre la primavera, se cuentan historias, se baila… Todo lo que se os ocurra.

• Vuestras impresiones:

CALENDARIO WALDORF

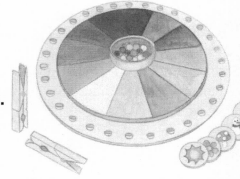

**Edad recomendada: 4-6 años.
Desarrollado en las
Escuelas Waldorf.**

• Objetivos:

En la pedagogía Waldorf, más que horarios, hay ritmos diarios, semanales, mensuales y anuales. Es importante organizar las jornadas y las semanas de los niños de forma que sea una secuencia de actividades que él pueda predecir, para que se sienta más seguro y aprenda a ubicarse en el tiempo. La percepción que ellos tienen del tiempo es muy distinta a la que tenemos los adultos y les puede resultar difícil entender qué es un día, mes o un año. Ellos suelen diferenciar los diferentes momentos del día o de la semana según sus rutinas (la hora de merendar, el día de ballet, la hora del cuento, el día que no hay cole...).

Con este calendario les ayudaremos a estar más conectados con el tiempo y a ser más conscientes de sus ritmos.

• **Habilidades y competencias:**
Creatividad, colaboración, conocimiento científico, adaptabilidad.

• **Material:**
Dos círculos de corcho grandecitos, uno del tamaño de un plato y otro un poco más pequeño, velcro de dos caras, pinzas de madera de las de tender la ropa, rotuladores, fieltro de colores, bolitas de colores (pueden servir las cuentas que venden para hacer collares), folios, tijeras, regla, pasta de papel o arcilla y tres cajitas o cestos pequeños.

• **Desarrollo:**
En primer lugar, hacemos la base, que será un círculo de corcho sobre el que colocaremos el otro círculo más pequeño. Este último, lo dividimos con una regla en 12 partes iguales (meses). A continuación, recortamos el fieltro de colores con la silueta de cada una de las 12 partes. Para los meses de invierno utilizamos tonos púrpuras y azules. Para los meses de primavera, verdes, para los de verano, amarillos y naranjas y para los meses de otoño marrones y rojos. Colocamos cada fieltro con un trocito de velcro en su «quesito» correspondiente, pero sin pegarlos, para ver cómo va quedando. Es muy importante colocarlos en orden, respetando los colores indicados para cada estación.

A continuación, formamos 31 pequeños cuencos de pasta de papel o arcilla de tamaño pequeño, para que los podamos pegar en el borde del círculo de corcho exterior, pero lo suficientemente grandes para que quepan las bolitas. Los dejamos secar y las ponemos en el borde del corcho más grande, en el exterior. Estos 31 cuenquitos representan los días del mes.

Preparamos nuestras bolitas o días de la semana. Necesitaremos 5 bolitas de cada color. Lunes, violeta; martes, rojo; miércoles, amarillo; jueves, naranja; viernes, verde; sábado, índigo; y domingo, blanco. Estos son los colores que utiliza Waldorf para los días de la semana. Después, metemos las bolitas en una cajita o cesto. Además, necesitaremos otras 5 bolitas multicolores a las que pegaremos un velcro pequeño y que meteremos también en la cajita o cesto. Ahora vamos a elaborar pequeñas imágenes que simbolicen cada mes. Las dibujamos, coloreamos y plastificamos. Por detrás le ponemos un velcro a cada una para poder pegarlas al fieltro. Por ejemplo: agosto, un sol; diciembre, una estrella de Navidad; octubre, una seta; enero, un muñeco de nieve; mayo, una flor, etc. Las metemos en otra cajita o cesto. Por último, preparamos las pinzas que simbolizarán las fechas especiales: cumpleaños, vacaciones, Navidad, un viaje que tengáis programado...

Se pueden decorar, por ejemplo, con una vela para las velas de los cumpleaños, un coche en la pinza del viaje, un árbol de Navidad para la pinza de Navidad... Esto ya lo podéis ampliar a vuestro gusto según las fechas importantes para vosotros. Y las guardáis en otra cajita o cesto.

• **Cómo funciona el calendario:**
Primero colocaremos el fieltro en el mes o «quesito» correspondiente y sobre él la imagen representativa de dicho mes. Luego la bolita del día de la semana. Empezamos con una violeta del lunes, y cada día vamos poniendo la bolita que corresponde en su pequeño cuenco. Cuando terminamos una semana, cogemos una bolita multicolor y la pegamos en el fieltro del mes en curso. De esta forma verán que las semanas tienen 7 días (bolitas) y que el mes tiene 4 o 5 semanas.

Las pinzas las podemos colocar para que el niño vea que por ejemplo quedan 10 días para el cumple de papá o quedan 5 días para las vacaciones. Se colocan en el corcho exterior paralelas a la bolita del día de la semana.

Cuando termina el mes, colocaremos el siguiente fieltro correspondiente. Quitamos las bolitas de los cuencos del círculo exterior y volvemos a comenzar. Dejamos el fieltro del mes terminado con sus bolitas e imagen.

Este tipo de calendarios se pueden encontrar también hechos de madera en tiendas especializadas.

• **Vuestras impresiones:**

Ejercicios y actividades para casa:

PROFUNDIZACIÓN EN LOS CONOCIMIENTOS Y HABILIDADES QUE DESARROLLAN EN LA ESCUELA

Por último, os proponemos algunas ideas para aquellos padres que sientan la necesidad de ayudar a sus hijos en algunas de las áreas trabajadas en el colegio en esta etapa y que suponen grandes retos para los niños, tales como iniciarse en el mundo de los números y las letras. Con estas actividades ayudaremos a nuestros hijos a mejorar en estas áreas mostrándoles un forma más amena, lúdica, divertida y motivadora de afrontar sus tareas.

NUESTRO CUENTO

Edad recomendada: 3-4 años. Desarrollada en las Escuelas Reggio Emilia. Actividad desarrollada en la Escuela English For Fun (Madrid).

• **Objetivos:**

Esta actividad es una buena forma de iniciar a los niños en la lectoescritura y fomentar su gusto por la lectura y la narración. Como característica importante de esta pedagogía, el adulto observa al niño, sus gustos, necesidades, motivaciones, intereses... para así poder guiarle de forma individualizada.

• **Habilidades y competencias:**

Creatividad, lectoescritura, autoconocimiento, comunicación.

• **Material:**

Cartulinas blancas tamaño folio, plástico para plastificar, fotos, rotulador negro, anillas para encuadernar, tijeras y pegamento.

• **Desarrollo:**

Podemos aprovechar algún momento de juego del niño (por ejemplo, en el parque o mientras está con los amigos), le observamos y hacemos fotos de diferentes momentos, intentando captar las diferentes situaciones que se van sucediendo y sin que se dé cuenta, para que resulte más espontáneo y natural. Una vez en casa, le enseñamos las diferentes imágenes y le invitamos a que nos cuente que es lo que estaba pasando en cada foto. Hacemos juntos una selección de las más representativas, las imprimimos y las pegamos sobre cartulinas blancas, colocando una foto por hoja y dejando en la parte inferior de la cartulina un espacio en blanco para el texto.

Cuando tengamos este material preparado, se lo enseñamos al niño y le contamos que vamos a escribir nuestro propio cuento. En primer lugar, tiene que ordenar las imágenes, según se sucedieron las diferentes escenas. A continuación, le preguntamos si se acuerda de lo que ocurría en cada imagen y elegimos un texto o frase para escribir en cada hoja. Al niño le encantará escribir su propia historia. Si no sabe escribir, será el adulto el que escriba el texto, pero ofrecemos al niño la posibilidad de escribir alguna grafía, como por ejemplo las mayúsculas de comienzo de texto que podrá copiar de una letra escrita por el adulto. De esta forma, se sentirá más protagonista en la realización del cuento.

Por último, el niño podrá dibujar en una cartulina en blanco la portada de su cuento y poner su nombre de autor.

Buscamos juntos un título para el libro. Plastificamos las cartulinas y las encuadernamos con las anillas. ¡¡¡Ya tenemos nuestro propio cuento!!!

• **Vuestras impresiones:**

MESA DE LUZ

**Edad recomendada: 4-6 años.
Desarrollada en las
Escuelas Reggio Emilia.**

- **Objetivos:**

Las mesas de luz, además de llamar la atención del niño invitándole a experimentar con ellas, suponen un gran estímulo sensorial visual. El niño trabaja con los materiales y la luz, lo que le ayuda a mejorar su concentración, relajación y motivación. Las mesas de luz ofrecen muchos recursos de trabajo tanto artístico, como científico, mejora de la lectoescritura y la grafomotricidad, y todo de una manera lúdica y atractiva.

- **Habilidades y competencias:**

Lectoescritura, creatividad, habilidades numéricas, iniciativa.

- **Material:**

Se puede comprar hecha o fabricarla en casa con los siguientes materiales: una mesa tipo Ikea cuadrada y bajita, unos Leds, a ser posible de colores, y una plancha de metacrilato. También se pueden fabricar con un cajón o caja de madera, por ejemplo, de las de vino.

- **Materiales para trabajar con la mesa de luz:**

Celofán, papel de seda, cartulinas de colores, arena, arroz o azúcar, colorante alimentario, témperas, tijeras, rotuladores.

- **Desarrollo:**

Estas son algunas de las actividades que se pueden realizar con una mesa de luz y una habitación con semioscuridad:

- Recoger hojas de árbol de un paseo, colocarlas sobre nuestra mesa de luz y observarlas.
- Llenar una bolsita hermética de congelar alimentos con un poco de agua, gel de baño y colorante alimentario (opcional). Colocamos

la bolsita sobre la mesa de luz e invitamos al niño a que vaya trazando la silueta de los números con sus deditos sobre la bolsa.

- Dibujar con cualquier material, témperas, rotuladores, ceras…
- Preparar números con papel de seda de colores y muchos circulitos de diferentes colores.
- Poner un número sobre la mesa de luz, colocar al lado tantos puntitos como le corresponda al número o incluso realizar sumas y restas si el niño está preparado.
- Practicar la lectoescritura poniendo sobre la mesa de luz o sobre una bandeja transparente que colocaremos encima arena, sémola o azúcar para después repasar los trazos de las letras con los dedos.
- Recortar letras con cartulinas de colores e intentar formar palabras con ellas.
- Recortar dibujos o siluetas y hacer un *collage* sobre la mesa de luz.
- Recortar con seda de colores o cartulinas diferentes formas geométricas y repasar su silueta.
- Recortar círculos, cuadrados, rectángulos y triángulos de diferentes colores de papel celofán o plásticos de colores y formar figuras con ellas.
- Jugar al tres en raya con piezas de colores.

- **Vuestras impresiones:**

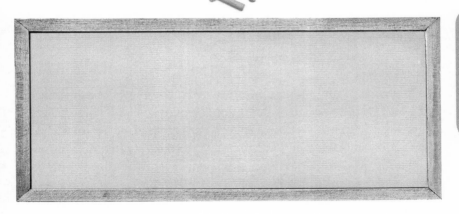

ALFABETO MÓVIL

**Edad recomendada: 4-6 años.
Desarrollada en la Escuela
Montessori School British
Education La Florida (Madrid).**

• **Objetivos:**

Esta actividad está recomendada para niños que conozcan los sonidos del alfabeto y su representación gráfica. Para los niños que conozcan solo algunas letras se les puede presentar el alfabeto móvil, solo con las letras que el niño conoce. Se trata de un material muy útil para motivar al niño con la lectoescritura. El manejo de las letras de una forma activa y sensorial resulta muy atractivo y favorece el desarrollo del lenguaje.

• **Habilidades y competencias:**

Lectoescritura, comunicación, iniciativa.

• **Material:**

Alfabeto móvil (se puedo comprar ya hecho o fabricarlo en casa con cartón). En internet encontraréis las siluetas para imprimir. Las vocales son azules y las consonantes rojas. Es aconsejable tener un par de cada una de las letras para poder formar todas las palabras. También se necesita una caja con separaciones para guardar las letras y un tapete o alfombrita.

• **Desarrollo:**

En primer lugar, le presentamos al niño el material explicándole que con esta caja de letras podemos formar todas las palabras que queramos. Comenzamos juntos con una palabra que él quiera, por ejemplo, casa. Le vamos preguntando, ¿cuál es el primer sonido de casa?, y lo decimos en voz alta. Buscamos la letra y la colocamos en el tapete. Lo mismo con las siguientes letras de la palabra. Podemos seguir formando palabras con el niño hasta que le veamos seguro para seguir él solo y sin corregirle hasta el final. Una vez domine las palabras, le podemos invitar a construir frases, después añadimos pautas (líneas para que escriba dentro de ellas) en el tapete para que vaya aprendiendo a respetar los márgenes.

• **Vuestras impresiones:**

CURVAS Y RECTAS

Edad recomendada: 5 años.
Desarrollada en las Escuelas Waldorf.

• **Objetivos:**

Con esta actividad se pretende acercar al niño al mundo de la grafomotricidad, ofreciéndole una alternativa a las hojas de caligrafía que en muchos casos no resultan demasiado atractivas. Trabajará las habilidades motoras que le van a permitir llegar al momento de comenzar a escribir con más seguridad y destreza.

• **Habilidades y competencias:**
Lectoescritura, creatividad, persistencia.

• **Material:**
Lámina o dibujo con escena, pizarra, dos trozos de cuerda, plastilina, bandeja con arena, azúcar o sal.

• **Desarrollo:**
En primer lugar, buscaremos el momento y el ambiente adecuado para presentarle al niño la actividad. Le mostramos una lámina que habremos seleccionado previamente, con una escena. Juntos, la comentaremos: ¿qué está pasando?, ¿quiénes son los protagonistas?, ¿qué te gustaría o crees que va a pasar a continuación?... Juntos inventáis la continuación de la historia, y si el niño quiere, puede dibujar las siguientes escenas.

A continuación, buscamos juntos las curvas y las rectas que hay en la escena; las nombramos y las repasamos con el dedo. Con esto, sería suficiente para el primer día.

El siguiente día, podéis comenzar de nuevo con la lámina y recordar juntos la historia. Una vez hecho esto, le pedimos que busque a su alrededor objetos en los que se pueda apreciar una curva o una recta y que siga su trazo con el dedo. El siguiente paso, será dibujar en una pizarra (o en su defecto en una hoja) una gran curva y una gran recta. Las repasamos con el dedo al tiempo que las nombramos y jugamos a formar curvas y rectas con nuestro cuerpo, curvando brazos, espalda...

Posteriormente, otro día, recordamos la historia y ofrecemos al niño una bandeja con arena, sal o azúcar en la que podrá dibujar con su dedo curvas y rectas. O le damos un trozo de cuerda para que pueda formarlas en el suelo con plastilina, arcilla...

El último paso es el papel, comenzamos motivando al niño para que haga un dibujo en el que aparezcan curvas y rectas y nos las señale. Ahora ya está preparado para hacerlas en una hoja, primero sin pauta y luego con pauta para que respete los márgenes.

De esta forma, hemos preparado al niño motivándole y jugando para que, cuando llegue el momento de enfrentarse a la caligrafía, se sienta más seguro. Esta misma actividad se realizará a continuación con la onda, el zigzag, las olas…

• **Vuestras impresiones:**

EL DRAGÓN DE LOS NÚMEROS

**Edad recomendada:
4-5 años.
Desarrollada en Escuelas Libres.
Actividad desarrollada en Mayrit
Escuela Activa (Madrid).**

• **Objetivos:**

Con esta actividad intentaremos acercar al niño al mundo de las matemáticas –y más concretamente de las sumas y las restas– de una forma lúdica, divertida, manipulativa y motivadora. Le resultará muy visual y sencillo entender cómo se realizan.

• **Habilidades y competencias:**
Habilidad numérica, iniciativa.

• **Material:**
Caja de cartón, cartulinas, temperas, bolitas o pelotas tipo ping-pong.

• **Desarrollo:**
Para llevar a cabo esta actividad hay que fabricar un dragón de cartón. Con una caja de cartón y cartulinas podéis conseguir uno: en primer lugar, se corta una caja de madera de tal manera que en la parte delantera quede una apertura que simbolizará una gran boca con dientes. A continuación, le pegamos unos ojos de cartulina y en la parte trasera dejamos otra abertura para poder meter las bolitas que debe estar conectada con la abertura principal de la boca, de tal forma que cuando se introduzcan por detrás, salgan por delante. Con cartulinas blancas y rotulador negro realizamos las tarjetas de números. En principio, comenzaremos con los números del 0 al 10. Necesitaremos dos tarjetas de cada número para poder hacer sumas del tipo 3 + 3, 5 + 5... El juego consiste en colocar dos tarjetas de números al azar, por ejemplo 7 + 2. Las colocamos apoyadas en los ojos del dragón, explicamos al niño que coja 7 bolitas y que las meta por la abertura trasera del dragón. Después, debe añadir otras 2. Una vez han metido todas las bolas vamos a la boca del dragón y contamos el resultado.

• **Vuestras impresiones:**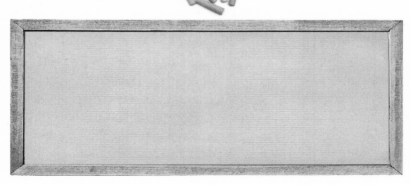

132

MATEMÁTICAS CON PINZAS

Edad recomendada: 3-4 años.
Desarrollada en las Escuelas Montessori.

• **Objetivos:**

Con esta actividad se pretende guiar al niño en su aprendizaje de los números y ofrecerle materiales y herramientas para que vaya descubriendo su valor y su representación gráfica de una forma manipulativa y lúdica.

• **Habilidades y competencias:**

Habilidades numéricas, adaptabilidad

• **Material:**

Pinzas de tender la ropa, cartulinas blancas, rotulador negro, 2 cestitas o cajas, plástico para plastificar.

• **Desarrollo:**

Esta actividad se realiza con un material muy básico e intuitivo. En primer lugar, recortamos 10 tarjetas rectangulares, todas del mismo tamaño. En cada una de ellas escribimos con el rotulador negro un número (del 1 al 10). Si queréis que os duren más, las podéis plastificar. A continuación, colocamos todas las tarjetas en un cesto o caja. Mientras, en otro cesto, metemos pinzas de tender la ropa. Presentamos la actividad al niño, que deberá coger las tarjetas con números e ir colocando en un lateral tantas pinzas como corresponda al número de la tarjeta.

• Vuestras impresiones:

PREESCRITURA

Edad recomendada: 3-4 años.
Desarrollada en las Escuelas Waldorf.

• Objetivos:

Con esta actividad ayudaremos a nuestros hijos a trabajar la motricidad fina, tan necesaria para poder escribir correctamente. La grafomotricidad suele resultar tediosa a muchos niños, sobre todo cuando tienen que hacer ejercicios demasiado mecánicos. Repasar los trazos de las letras, experimentar con ellas y practicarlas de una forma estimulante, les ayudará a motivarse más con la escritura.

• Habilidades y competencias:
Creatividad, iniciativa, persistencia.

• Material:

Una bolsa hermética de las de congelar alimentos de tamaño grande o mediano, gel de ducha y pintura tipo témpera.

- **Desarrollo:**

Una vez tenemos los materiales preparados, se los enseñamos al niño y le ofrecemos la posibilidad de fabricar una «pizarra mágica» juntos. Llenamos la bolsa hasta la mitad aproximadamente con el gel de ducha y le añadimos unas gotitas de pintura. Después, la cerramos. Con las manos, mezclamos bien el gel y la pintura. A continuación, ya podemos dejar al niño experimentar dibujando trazos y borrándolos fácilmente. Le podemos sugerir que dibuje las letras de su nombre, las de sus amigos o las de su familia.

Esta pizarra «mágica» la podréis utilizar también para repasar el trazo de los números. Otra opción para utilizarla puede ser la siguiente: inventar juntos un cuento y cada vez que salga por ejemplo una palabra que empiece por «A», nos paramos e intentamos escribirla.

- **Vuestras impresiones:**

EJERCICIOS HABILIDADES

APÉNDICE

Nos gustaría que este libro os haya servido en diferentes aspectos. En primer lugar, para saber qué tipo de habilidades tienen que desarrollar vuestros hijos para prepararse adecuadamente para la sociedad que está por venir. En segundo, para conocer la enseñanza alternativa que se está desarrollando en España y fuera de nuestro país, sus características y su metodología. Y, en tercer lugar, para que podáis hacer en casa con los niños una serie de actividades que fomenten su autoestima, su autonomía, su creatividad y su iniciativa.

Queremos terminar este libro con la aportación de dos expertas, cuya opinión nos parece muy interesante para complementar toda la información que hemos recogido en estas páginas. Se trata de Casilda Güell y Begoña Ibarrola, dos profesionales de la educación –cada una en su ámbito- con un gran prestigio y experiencia. Así que, como dos buenas periodistas, les hemos trasladado las siguientes preguntas que seguro que muchos padres comparten para que nos guíen en este camino de educar a nuestros hijos.

CASILDA GÜELL

La doctora Casilda Güell es Directora Académica del Área de Dirección General en OBS Business School y PhD London School of Economics. Experta en formación, liderazgo y globalización, nos habla de las habilidades que deben desarrollar nuestros hijos para el futuro.

¿En qué medida crees que el modelo educativo es básico para preparar a los niños para el futuro?
El modelo educativo es crucial para educar a los niños y en educar a pensar. El pensamiento crítico y riguroso es clave para desarrollar la mente de los niños. Creo en los valores de la libertad, amistad, la responsabilidad y del respeto y que es importante inculcarlos. Por supuesto, la responsabilidad recae en el modelo educativo y en gran parte en la unidad familiar.

¿Qué tipo de habilidades son imprescindibles y se deben fomentar desde la infancia en las escuelas?
Debido a la aceleración tecnológica de nuestra era, hay que enseñar habilidades a los niños que sean transversales en las diferentes áreas temáticas educativas ya que los contenidos que les podemos enseñar hoy es muy posible que estén obsoletos cuando lleguen a su edad adulta. En cambio, entiendo que la necesidad de las habilidades seguirá vigente.

Algunos ejemplos son: el aprendizaje de varias lenguas desde pequeños con la prioridad del aprendizaje en inglés; aprender a hablar en público y dotes de comunicación; habilidades de liderazgo y de trabajo en equipo, así como de convivencia multicultural y aprender a leer de forma analítica y crítica y a debatir.

La sociedad demanda personas creativas, que sepan aportar ideas distintas y tengan iniciativas... ¿Cómo podemos los padres enseñarles a pensar de forma diferente, a potenciar su pensamiento divergente?
Es importante dejarles espacio para que puedan desarrollar su capacidad creativa y su análisis crítico. Como padres, debemos guiarles y moderarles, pero no acotar sus deseos ni pensamientos y asumir su autonomía lo antes posible. Creo que, de esta forma, les ayudamos a ser personas responsables y personas que puedan desarrollar sus capacidades creativas y su pensamiento divergente. Es importante escucharles y es un necesario ejercicio de humildad por nuestra parte.

¿Cuáles son los principales errores que solemos cometer en esta tarea tan importante?
A menudo sobreprotegemos a nuestros hijos. Somos conscientes de los peligros de la sociedad y queremos controlarles, sin embargo, el excesivo control es sin duda contraproducente. Otro error muy típico es querer imponer nuestra forma de pensar a nuestros hijos.
Es casi inevitable y sin embargo es importante que ellos tengan la libertad de escoger su forma de pensar.

BEGOÑA IBARROLA

Begoña Ibarrola es Licenciada en Psicología y ha sido terapeuta infantil durante quince años. Es autora de un extenso catálogo de cuentos en los que les muestra a los niños el camino de las emociones como recurso para la vida.
Además de sus cualidades como escritora, Begoña es una consagrada divulgadora y docente en temas como la educación emocional, la neuroeducación, las inteligencias múltiples o la musicoterapia, profesión esta última en la que fue pionera en España.

¿Qué importancia tiene la inteligencia emocional en la educación de nuestros hijos?, ¿cómo puede determinarles en el futuro?
La IE se puede desarrollar durante toda la vida, aunque cuanto antes aprendan los niños a conocer y regular su mundo emocional y conocer el mundo emocional de los demás, mucho mejor, ya que desde bien pequeños pueden desarrollar hábitos emocionalmente saludables. Por eso soy partidaria de trabajar desde la etapa de infantil en el desarrollo de competencias emocionales.

Se ha demostrado que una persona que ha desarrollado su IE es más madura, sabe hacer frente a los retos que la vida le depara con buen ánimo, conoce su mundo emocional, sabe gestionar todo tipo de emociones y es capaz de cambiar su estado emocional interno cuando no es el adecuado. Sus relaciones sociales son más satisfactorias, es empática y sabe trabajar en equipo a la vez que su forma de comunicarse es asertiva y respetuosa. Tiene una buena autoestima y se pone metas y objetivos realistas, que intenta conseguir con esfuerzo y constancia. Todo ello le ayuda a tener un mejor nivel de bienestar personal, que a la larga redunda en una mejora de la sociedad.

Se ha avanzado mucho en este sentido, pero... ¿crees que en España todavía no existe una conciencia acerca de incluir este tipo de educación en la escuela? Sabemos que durante mucho tiempo la dimensión cognitiva ha sido la reina del aula, pero desde hace unos años y, afortunadamente, la neurociencia ha demostrado la importancia de las emociones en diferentes ámbitos de la vida: cómo afectan por ejemplo a la salud, al aprendizaje, al bienestar integral, a nuestras relaciones interpersonales, al rendimiento laboral, etc. Ante esas evidencias, el entorno educativo va aceptando cada vez más que es necesario educar las emociones de los alumnos y potenciar su bienestar emocional. El problema es que para llevar a cabo una buena educación emocional el profesorado debe formarse y solo en la Universidad de La Laguna se imparte formación en este ámbito. Después sí que el profesorado busca formarse por su cuenta y cada vez más claustros lo tienen como objetivo, lo cual es una buena noticia, pero queda mucho por hacer hasta conseguir que se aborde de forma transversal en todos los colegios y en todas las etapas.

¿Qué tipo de «habilidades emocionales» es importante transmitirles y enseñarles? Hay diferentes modelos de competencias emocionales que se deben desarrollar, pero casi todas coinciden en las siguientes: conciencia emocional y autoconocimiento, regulación emocional y autocontrol, automotivación, autonomía emocional, gestión de las relaciones, empatía, etc. Cada una de estas competencias se compone de diferentes habilidades que son como herramientas para abordar diferentes situaciones. En resumen, se trata de tomar conciencia de lo que sentimos, aprender a identificarlo y a expresarlo de forma adecuada, comprender el fenómeno emocional y la información que nos ofrece cada emoción y comprender las emociones de los demás para poder tener unas relaciones sociales satisfactorias. Se puede concretar en dos aprendizajes: aprender a ser uno mismo y aprender a convivir.

¿Cómo podemos los padres contribuir a mejorar la autoestima de nuestros hijos? La autoestima es la capacidad de sentirse bien con uno mismo y esta es la base de la convivencia. Es uno de los aspectos más importantes en el desarrollo del niño. Un niño que no se quiere a sí mismo, que se ve como alguien que no merece el afecto de los demás, que se compara con otros o que se siente un ser inútil, difícilmente podrá lograr un nivel de desarrollo adecuado en cualquier faceta de su vida y no podrá sentirse feliz.

El primer elemento para la construcción de la autoestima pasa por la autoaceptación. Pero en los niños hasta los seis años, esa aceptación de sí mismos depende en exclusiva de la aceptación y valoración de los adultos con quienes conviven. El concepto que tienen los padres de sus hijos juega un papel muy importante ya que un niño se ve reflejado en los ojos y en las palabras de sus padres y creerá firmemente la imagen que proyecten de él.

Es importante aprobar las acciones y actitudes positivas de vuestros hijos, ya que es una forma de reforzar su emergente identidad y de ayudarle a construir una imagen adecuada de sí mismo, por el contrario, el lenguaje utilizado para una crítica debe cuidarse para evitar que se sientan humillados. Por eso debes sentirte orgulloso de él, que sienta que confías y valoras sus particulares talentos, aunque no debes convertir los elogios en algo rutinario o hacerle ver que no tiene limitaciones o aspectos de sí mismo a mejorar. Supone una gran responsabilidad para los padres proyectar una imagen positiva y realista de los hijos.

¿Cuándo debemos comenzar a trabajar en este aspecto?

Desde bien pequeños. Si quieres que tu hijo tenga un adecuado nivel de autoestima debes fomentarlo de la siguiente manera: aprobando y valorando sus comportamientos adecuados y sus actitudes positivas; ayudándole a aceptarse como es, un ser único y especial, con sus particulares talentos y también con limitaciones; teniendo cuidado con los comentarios que hagas sobre él, procurando que sean positivos y con críticas constructivas que no le humillen. También es muy útil ponerle retos adecuados a su nivel de madurez. Cuando es capaz de conseguirlos y de superar obstáculos, se siente mejor consigo mismo. Además recuérdale a menudo todo lo que va aprendiendo, utiliza los elogios sinceros, siempre de acuerdo con la realidad y en el momento en que consigue algo, pero también valora su esfuerzo. Y, por último, habla con él de lo que siente, de su mundo interior y ayúdale a expresar sus emociones sin miedo.

Gracias

A Sandra García, madre de dos niños (Quique y Martina) que, como los nuestros, han encontrado en la educación alternativa la mejor forma para aprender y crecer como personas. Queremos agradecerle el trabajo realizado en las ilustraciones que acompañan este libro, fruto de su creatividad y su capacidad artística. Si queréis conocer más sobre ella y sus trabajos como diseñadora, ilustradora y creadora gastronómica, podéis hacerlo en www.sandragarlo.com

A los colegios Montessori School British Education La Florida, Waldorf Aravaca, Khalil Gibran, Mayrit Escuela Activa e English For Fun, por recibirnos amablemente y enseñarnos el increíble y dedicado trabajo que realizan formando a los niños y jóvenes.

A Isabel Blasco, nuestra editora. Por creer en nuestro proyecto, por habernos animado y habernos puesto todo tan fácil. Eres una auténtica «guerrera» y una profesional estupenda. Pero, sobre todo, eres una gran persona. Gracias de corazón.